Les mots
qu'on n'a pas
dits ...

YVES DUTEIL

Les mots qu'on n'a pas dits...

NATHAN

Je voudrais rendre hommage à ceux dont les noms suivent,
Cachés dans les refrains de toutes mes chansons,
Leur dédier à chacun mon âme à la dérive
Et leur offrir à tous un vers à ma façon...

Y. D.

C'était une chanson pour se réconcilier après une dispute. La fin n'était pas préméditée...

J'AI FAIT LE CHEMIN À L'ENVERS

J'ai fait le chemin à l'envers
Pour découvrir notre passé
Je suis revenu en arrière
Pour mieux comprendre nos pensées
J'ai relu le livre d'images
Celui de notre moyen âge
Celui dont on tourne les pages
En arrière
Je l'ai relu en sens inverse
De nos orages à nos averses
J'ai fait le chemin à l'envers
À l'envers

J'ai fait le chemin à l'envers
Pour mieux comprendre nos erreurs
Pour retrouver le temps d'hier
Et le pourquoi de nos bonheurs
Et j'ai revu nos épousailles
Nos incendies, nos feux de paille
Et j'ai revu de nos médailles, les revers
Pour arriver à savoir mieux
Ce qui nous rendait si heureux
J'ai fait le chemin à l'envers,
À l'envers

J'ai fait le chemin à l'envers
Sans savoir où j'arriverais
J'ai fait la route en solitaire
De jamais plus en désormais
Pas pour apprendre à me connaître
Mais pour savoir te reconnaître
Et peut-être aussi pour renaître avec toi
Pour que nous soyons plus heureux
Et puis pour savoir être deux
J'ai fait le chemin allant vers toi.

Souvenir d'un voyage de nuit sur une autoroute italienne, fatigue et tendresse ...

VIRAGES

Mes paupières s'alourdissent un peu
Mais dans un kilomètre ou deux
Après le virage, au village, dans un petit bar
Il y a du feu
Toi tu dors depuis l'autoroute
Fatiguée, énervée sans doute
Plus qu'un kilomètre, peut-être, et puis du café
Auprès du feu
Je regarde un instant vers toi
Tu es presque appuyée sur moi
Un virage à droite, un peu sec, qui te plaque à moi
Je voudrais que ce virage n'en finisse pas
Je redresse, doucement, sans à-coups
Ton visage sur mon cou...

Passeront les jours et les semaines et les années
Tant que je t'aurai à mes côtés
Dans chacun des gestes de la vie
Je t'aimerai aussi

Dans une heure on y verra mieux
Le brouillard se dissipe un peu
L'essuie-glace passe et repasse en laissant des traces
Devant mes yeux
Des lumières au travers des phares
Le village, et là-bas le bar...
Retenant ta tête, je m'arrête sur le bas-côté
Près du café
Et dans un bruissement d'abeilles
Le silence peu à peu t'éveille
Je me sens vidé, fatigué mais si près de toi
Je voudrais que ce voyage n'en finisse pas
Tu souris, brusquement, sans un mot
Ta main glisse dans mon dos...

Passeront les jours et les semaines et les années
Tant que je t'aurai à mes côtés
Dans chacun des gestes de la vie
Je t'aimerai aussi.

1973 : En sortant de Bobino, rue de la Gaité, où je chantais en lever de rideau de Régine, j'avais dans la tête "pour amis, j'ai des mots..."

J'ai continué le texte, dans ma tête, en marchant. J'ai traversé des rues, longé des trottoirs, et quand j'ai "repris conscience", j'étais Boulevard Saint-Germain, à l'Odéon, et j'avais fini le premier couplet... mais ma voiture était toujours rue de la Gaité...

LES MOTS

Pour amis, j'ai des mots
Qui s'enroulent à ma vie
Et s'envolent aussitôt
Comme un oiseau du nid
Pour amis, j'ai des mots
Qui me chantent la nuit
Et l'amour, et la mort, et la vie

Des mots tendres, et des mots
Qui vous diront un jour
Et la vie, et la mort, et l'amour

Pour amis, j'ai des mots
Que je mets sur des MI
Et qui font dans mon dos
D'étranges mélodies
Pour amis, j'ai des mots
Qu'on chante, et qu'on oublie
Mais qu'on aime, quelquefois aussi

Des mots tendres, et des mots
Indécents comme la vie
Indécis comme le vent, mais aussi

Pour amis, j'ai des mots
Qui s'enroulent à mon coeur
Et s'envolent aussitôt
En oiseaux du bonheur
Pour amis, j'ai des mots
Qui font chanter les heures
Et qui font oublier, quand on pleure
Des mots tristes et sans vie
Aussi longs que les jours
Aussi gris qu'un amant sans amour

Pour amis, j'ai des mots
Que je mets sur des MI
Sur des SI, à défaut
Sur des DO, par défi,

Pour amis, j'ai des mots
Que l'on n'a jamais dits
Mais je découvrirai aussi
Des mots tendres, et des mots
Qui dormaient jusqu'alors
Et viendront à la vie, mais encore

Pour amis, j'ai des mots
Qui s'enroulent à mon corps
Et m'emportent aussitôt
Comme un bateau sans port
Pour amis, j'ai des mots
Que je vole à l'aurore
Pour qu'ils te soient plus doux encore

Des mots tendres, et des mots
Qui font trembler mes mains
Quands ils disent « tu reviens »
Et qu'alors

Pour amis j'ai des mots
Qui s'enroulent à nos corps
Et nous portent aussitôt
Vers un nouveau décor
Pour amis, j'ai des mots
Qui roulent en vagues d'or
Et encore, et encore
Et encore, et encore...

Un parfum d'absence, mais léger
comme l'insouciance de sa musique.
C'est une rupture sans tristesse,
imaginaire, bien sûr...

EN TE QUITTANT

En te quittant, j'ai laissé
Auprès de ton cœur qui saigne
Un peu d'amour
Pour un ou deux jours
Puis en relisant mes lettres
Tu découvriras peut-être

Qu'en te quittant, j'ai laissé
Un peu de bonheur qui traîne
Qui vit encore au creux de ton lit
Quand tu t'endors ou quand tu t'ennuies
Un peu d'amour qui flotte autour de ta vie

En te quittant, j'ai laissé
Quelques souvenirs que j'aime
Quelques douceurs pour toucher ton cœur
Est-ce pour oublier moins vite
Que l'on s'aime et qu'on se quitte

Qu'en te quittant j'ai laissé
Un peu de bonheur qui traîne
Qui vit encore au fil de tes heures
Quand tu t'endors ou dès que tu pleures
Un peu d'amour qui flotte autour de ton cœur

En te quittant j'ai laissé
Ta porte un peu entrouverte
Comme un sourire pour te revenir
Puisqu'en relisant tes lettres
Je découvrirai peut-être

Qu'en te quittant j'ai laissé
Ma tendresse sur tes lèvres
Quelques remords au creux de ton lit
Quand je m'endors ou quand je m'ennuie
Un peu d'amour qui manque autour de ma vie

En te quittant j'ai laissé
Ma tendresse sur tes lèvres
Quelques remords au creux de ton lit
Quand je m'endors et quand je m'ennuie
Un peu d'amour qui manque autour de ma vie

C'est la première chanson que j'ai chanté à Noëlle et à Martine quand je les ai rencontrées.

C'est pour ce texte que l'on m'a dit un jour : - "Quand on est triste c'est qu'on existe", c'est trop compliqué, deux idées par vers, "ils" ne vont pas comprendre, dis plutôt : "Quand on est triste, plus rien n'existe ...".

QUAND ON EST TRISTE

Quand on est triste
C'est qu'on existe
C'est qu'on a le cœur en lambeaux
Dès qu'on voit mourir un oiseau
Quand on est triste
C'est qu'on existe
Et c'est le cœur qui a toujours le dernier mot

Que l'on soit Pierrot ou bien Don Juan
Que ce soit l'automne ou le printemps
Qu'on soit seul au fond d'une île
Qu'on soit seul ou qu'on soit mille
On a le cœur gros de temps en temps

Quand on est triste
C'est qu'on existe
Et c'est la vie qui sur un mot
Transforme un rire en un sanglot
Comme un artiste, illusionniste
Qui ne sait pas où va finir le numéro

Mais s'il m'arrive aussi d'être heureux
Alors laissez-le moi vivre un peu
Le bonheur c'est mon ivresse
Le bonheur et la tendresse
Laissez-les moi vivre aussi vrai que

Quand on est triste
C'est qu'on existe
Mais le jour où pour un seul mot
On a le cœur comme un flambeau
On est l'artiste
L'illusionniste
Sans jamais savoir où finit le numéro

Quand on est triste
C'est qu'on existe
Mais le jour où pour un seul mot
On a le cœur comme un flambeau
On est l'artiste
Et l'on existe
Et c'est le cœur qui a toujours le dernier mot.

*J'aurais aimé connaître ma Noëlle
quand elle était enfant, lorsque sans le
savoir, nous commencions nos chemins l'un
vers l'autre. En fait, je ne l'avais pas encore
rencontrée quand j'ai écrit cette chanson,
alors je l'ai appelée Marie. Mais depuis,
en voyant ses photos d'enfant, je sais
que je serais tombé amoureux d'elle si
je l'avais connue à cette époque, déjà...*

.

MARIE MERVEILLE,
MARIE BONHEUR

Marie se réveille, un bol est sur la table
Tout fumant de café chaud
Elle met son bonnet, ses gants, prend son cartable
Enfile enfin son manteau
Et puis c'est la classe et puis les années passent
Le premier amour, tout chante et puis s'efface
Moi j'apprends les fleurs, la vie, mais le temps passe
J'attends mon heure...

Marie merveille, Marie bonheur
Pour partager ta vie, pour partager ton cœur
Marie sommeille, Marie se meurt
Et renaît dans un rêve où les enfants parlent aux abeilles

Marie s'éveille, Marie c'est l'heure
Et Marie me réveille en caressant mon cœur
Marie me touche
Et la vie prend ma main
Marie accouche
Et c'est déjà demain

Alors tu t'éveilles, un bol est sur la table
Et je te vois sans dire un mot
Prendre ton bonnet, tes gants puis ton cartable
Et j'ai comme un rêve idiot :
Tu t'en vas en classe, et puis les années passent
Ton premier amour, tout chante et tout m'efface
Un gamin t'embrasse, et seul devant ma tasse
J'ai un peu peur...

Marie merveille, Marie bonheur
Il faut m'en faire une autre avant le temps des fleurs
Ma vie sommeille, ma vie se meurt
Et renaît dans un rêve où les enfants parlent aux abeilles

Marie s'éveille, Marie c'est l'heure
Et Marie me réveille en caressant mon cœur
Marie me touche
Et la vie prend ma main
Marie-la-douche
Et c'est déjà demain.

*Cette chanson, pour moi, restera
toujours un tableau, en clair-obscur,
la silhouette du jeune homme à l'écritoire,
dont nul ne sait ce qu'il écrit, devant
sa fenêtre sans regarder dehors, un peu
Nostradamus, un peu Léonard de Vinci,
figé dans sa vocation : rêver pour les autres.*

L'ÉCRITOIRE

Le jeune homme écrivait, penché sur l'écritoire
Éclairé de la rue par une aurore avare
Et les mots se suivaient comme le fil des ans
Sans jamais s'arrêter un instant
Le jeune homme écrivait, penché sur sa mémoire
Le visage éclairé d'une lueur d'espoir
Et les mots se posaient comme font les flamants
Dans sa tête et sur le papier blanc
Et les mots se posaient comme font les flamants
Sans jamais hésiter un instant

Et le monde tournait pourtant,
Et le monde tournait pourtant...

Le bonhomme écrivait, penché sur l'écritoire
Le soleil en tombant desséchait l'encre noire
Mais les phrases coulaient comme autant de torrents
Sans jamais se tarir un instant
Le bonhomme écrivait, penché sur son histoire
Ses rêves d'autres vies, ses rêves d'autres gloires
Et les mots racontaient le fil d'un autre temps
Dans sa tête et sur le papier blanc
Et les mots racontaient le fil d'un autre temps
Sans jamais se tromper d'un instant

Et le monde tournait pourtant,
Et le monde tournait pourtant...

Le vieil homme écoutait, courbé sur son grimoire
Le regard fatigué dans la pâleur du soir
Mais les mots se taisaient comme font les tourments
Sans jamais disparaître vraiment
Puis enfin il dormait, tombé sur l'écritoire
Éclairé de la rue par une aurore avare
Et les mots s'envolaient comme font les flamants
De sa tête et de son papier blanc
Et les mots s'envolaient comme font les flamants
Sans qu'il sache ni pour qui ni pour quand...

Et le monde tournait pourtant,
Et le monde tournait pourtant...

Ma mère a disparu trop vite, le cancer, le vide, et toutes ces images glanées dans ma mémoire ont ressuscité sa tendresse pour toujours. Le chagrin est parfois un sentiment précieux, quand c'est tout ce qui reste...

LA TENDRE IMAGE DU BONHEUR

Roland rentrait de son collège
Et dormait tard ces matins-là
Je regardais tomber la neige
En finissant mon chocolat
Je voyais Lise à la fenêtre
En contre-jour, et dans un coin
Papa relisait une lettre
En tenant Maman par la main

Alors j'ai pris pour moi tout seul
La tendre image dans mon cœur
Et d'aujourd'hui jusqu'au linceul
Ce sera celle du bonheur

J'attendais l'heure de mon solfège
En regardant depuis l'entrée
Les pas de Lise dans la neige
Qui dessinaient comme un sentier
Roland pour terminer son rêve
Faisait semblant d'être endormi
Lorsque Maman pour qu'il se lève
Allait l'embrasser dans son lit

Alors j'ai pris pour moi tout seul
La tendre image dans mon cœur
Et d'aujourd'hui jusqu'au linceul
Ce sera celle du bonheur

Le temps d'écrire quelques pages
Il est passé quelques années
Sur le décor et les visages
Et puis Maman s'en est allée
Lise vient dîner certains soirs
Et Roland passe à l'occasion
Papa m'appelle et vient me voir
S'il est trop seul à la maison.

Et j'ai gardé pour moi tout seul
La tendre image du bonheur
Mais d'aujourd'hui jusqu'au linceul
Elle me déchirera le cœur.

pour le plaisir des mots, tout simplement...

UN LILAS POUR EULALIE

Suis allé courir à l'îlot cueillir un lilas
Suis allé courir à l'îlot cueillir un lilas
Un lilas pour Eulalie
Eulalie pour un lilas
Suis allé courir à l'îlot cueillir un lilas
Elle m'aimera
Suis allé courir à l'îlot cueillir un lilas
Elle m'aimera

En chemin j'ai croisé Lili qui voit le lilas
En chemin j'ai croisé Lili qui voit le lilas
Le lilas pour Eulalie
Eulalie pour un lilas
Et Lili qui n'a personne
Moi le lilas je lui donne
En chemin j'ai croisé Lili qui prend le lilas
Et qui m'aimera
En chemin j'ai croisé Lili qui prend le lilas
Et qui m'aimera

Mais déjà Lili m'abandonne Lili s'en va
Près de moi je n'ai plus personne et plus de lilas
De lilas pour Eulalie
Eulalie pour un lilas
Et Lili qui n'a personne
Moi le lilas je lui donne
Mais déjà Lili m'abandonne Lili s'en va
Ne m'aimera pas
Mais déjà Lili m'abandonne Lili s'en va
Ne m'aimera pas

Suis retourné cueillir alors un autre lilas
Suis retourné cueillir alors un autre lilas
Du lilas j'ai pris le LI
Pour dormir quand vient le soir
Et du lilas d'Eulalie
Reste un LA pour ma guitare
Et demain j'irai pour de bon chanter mes chansons
Elles m'aimeront
Et demain j'irai pour de bon chanter mes chansons
Elles m'aimeront.

En attendant l'amour...

J'AI LE CŒUR EN BOIS

J'ai le cœur en bois
Pour consumer ta résistance
Et pour réchauffer ton indécence, ton indécence
J'ai le cœur en bois
Pour me défendre
J'ai le cœur en bois
Tendre

J'ai le cœur en bois
Qui s'enracine dans ta terre
Pour y puiser l'eau de tes mystères, de tes mystères
J'ai le cœur en bois
Mais pour te prendre
J'ai le cœur en bois
Tendre

J'ai le cœur en mer
Écartelé par les orages
Assoiffé de terre jusqu'à lécher la moindre plage
J'ai le cœur amer
Comme une larme
J'ai le cœur en mer
Calme

J'ai le cœur en pierre
Pour te bâtir des cathédrales ˉ
Qui te resteront bien après moi, bien après moi
J'ai le cœur en pierre
Philosophale
J'ai le cœur d'une
Étoile

Mais j'ai le cœur en toi
Comme une fleur est dans sa terre
J'ai le cœur en toi
Comme un enfant dort dans sa mère
J'ai le cœur en toi
Une seconde
Comme le cœur du monde

J'ai le cœur en bois
Pour consumer ta résistance
Et me réchauffer de ton absence, de ton absence
J'ai le cœur en bois
Mais pour t'attendre
J'ai le cœur en bois
... Tendre

Toute mon enfance et mon adolescence ont été baignées d'angoisse. Écrire m'en guérit. Mais parfois, au hasard d'une idée, d'une image, l'angoisse resurgit, presque familière, comme une ombre qui plane, opiniâtre...

ET PUIS VOILÀ QUE TU REVIENS

Tu n'étais plus qu'une ombre ancienne
Et puis voilà que tu reviens
J'avais si peur que tu reviennes
Je t'avais oubliée si bien
Oubliée jusqu'à mon enfance
Où tu faisais de mes matins
Des derniers matins de vacances
Des premiers soirs de collégien
Tu n'étais plus qu'un vieux silence
Et puis voilà que tu reviens

Quand j'écrivais tous mes problèmes
Sur un journal à l'encre bleue
Quand j'ai dit mon premier « je t'aime »
C'était pour t'oublier un peu
Même oubliée pour d'autres peines
Même oubliée pour presque rien
Je t'avais oubliée quand même
Le cœur moins lourd de tes chagrins
Et puis j'étais enfin moi-même
... Et puis voilà que tu reviens

Mais j'écrivais mes soirs de brume
À l'encre bleue de tes embruns
Je savais qui tenait la plume
J'ignorais qui tenait ma main
Et pour une aube un peu trop grise
La nostalgie des jours anciens
Une blessure un peu trop vive
Je ne saurai jamais très bien...
J'avais envie d'une autre rive
Pour un instant, pour un matin,
J'avais envie que tu revives
... Et puis voilà que tout revient.

La raison d'être du chagrin.

JE SUIS UNE LARME

J e ne suis qu'une larme
Dans ton œil...

Je sais que dans ton cœur
Il y a le bonheur
Tel que tu le veux
Au bord de ta paupière
J'erre
Ne ferme pas les yeux

Tu sais que si je viens
Mouiller ton chagrin
J'en emporte un peu
Au fil de la rivière
Claire
De tes yeux

Tu sais, j'ai eu du mal
À percer le voile
Tissé par le temps
Pour vivre une seconde
Ronde
Puis couler doucement

Un peu comme une étoile
Et sa traînée pâle
Trace vers ton cou
Le lit d'une rivière
Claire
Sur ta joue

S'il est des mots qui meurent
D'avoir eu trop peur
D'être murmurés
D'autres se font entendre
Tendres
Sans être prononcés

Et mille et une nuits
N'auraient pas suffi
Pour en dire autant
Que l'eau de la rivière
Claire
En un instant.

*J'ai dessiné sur le papier une
maison de rêve, et j'y ai fait
vivre l'amour que j'espérais...*

L'AMOUR EST UNE MAISON

L'amour est une maison
Où le lierre s'étend du toit rose aux murs blonds
L'amour est une maison
Où l'été, le printemps sont les seules saisons
L'amour est une maison
Dont les portes qui grincent écrivent des chansons
Où l'amour est une saison
Qui fait fondre la neige et lever les moissons

Les fenêtres sont des sourires
Et chacune des pierres est un mot d'amour
Le grenier c'est les souvenirs
Des premières caresses aux prochains beaux jours
Mon amour...

L'amour est une maison
Bien à l'abri du vent dans le creux d'un vallon
L'amour est une maison

Où l'on dort trop souvent sans y faire attention
L'amour est une maison
Où parfois l'on s'éveille sans s'y être endormi
L'amour est une maison
Qui comprend quelquefois avant qu'on ait compris

Les fenêtres sont des sourires
Et chacune des pierres est un mot d'amour
Le grenier c'est les souvenirs
Des premières caresses aux prochains beaux jours
Pour mon amour...

L'amour est une maison
Qui vieillit quelquefois quand le temps est trop long
Mais l'amour est une maison
Qui ne ferme jamais ses volets pour de bon

L'amour c'est notre maison
Et le lierre s'étend du toit rose aux murs blonds
L'amour c'est notre maison
Et l'été le printemps sont nos seules saisons
L'amour c'est notre maison
Et les portes qui grincent ont écrit ma chanson
L'amour c'est une maison
Qui ne ferme jamais ses volets pour de bon

L'amour est une maison
L'amour est une maison...

C'est en même temps une pensée
sur l'écriture, et une chanson
d'adieu. Je partais pour une
nouvelle vie, et je voulais adoucir
le chagrin que je laissais derrière
moi.

DÈS QUE J'AI BESOIN DE TOI

J'écris des soleils et les enfants les chantent
Pour qu'il reste un peu de moi
Mais ce sont souvent des mots que je m'invente
Dès que j'ai besoin de toi

Je fais quelquefois de fabuleux voyages
Couché sur mon lit, chez moi
Je revois tes yeux tes lèvres et ton visage
Et j'oublie que tu t'en vas

J'écris ton soleil et les enfants le chantent
Il m'en reste un peu de joie
Ce ne sont pourtant que des mots que j'invente
Dès que j'ai besoin de toi

Je t'écris cent fois de cent façons nouvelles
Et je te retrouve un peu
Si je n'écris pas de chansons éternelles
Je serai quand même heureux

Je ferai parfois le fabuleux voyage
À travers ces chansons-là
Je saurai toujours malgré le temps et l'âge
Combien j'ai besoin de toi

J'écris des soleils et les enfants les chantent
Pour qu'il reste un peu de moi
Mais ce sont souvent des mots que je m'invente
Dès que j'ai besoin de toi

Et si ma chanson s'envole autour du monde
Un jour elle te reviendra
Et tu revivras le jour et la seconde
Où j'ai eu besoin de toi

Tu feras du temps le fabuleux voyage
Où tu te reconnaîtras
Et tu me retrouveras de page en page
Et j'aurai besoin de toi

J'écris des soleils et les enfants les chantent
Pour qu'il reste un peu de moi
Mais ce sont souvent des mots que je m'invente
Dès que j'ai besoin de toi

J'écris des soleils et les enfants les chantent
Pour qu'il reste un peu de toi
Mais ce sont souvent des mots que je m'invente
Dès que j'ai besoin de toi

Tu vois, ma vie c'est tout ça,
Dès que j'ai besoin de toi...

*J'ai joué le Brésil à travers
le son des mots, qui coulent et qui
chuintent, portés par la musique de la
samba.*

J'AI CACHÉ TON MOUCHOIR

J'ai caché ton mouchoir
J'ai caché ton mouchoir
Je te dirai où plus tard
J'ai caché ton mouchoir
J'ai caché ton mouchoir
Tu peux pas pleurer ce soir

Comme il faut tout prévoir
J'ai cassé ton miroir
Tu peux pas non plus te voir
J'ai caché ton mouchoir
J'ai cassé ton miroir
Tu peux pas pleurer ce soir

Chaque fois que l'on se quitte
Pour quelques jours ou quelques heures
J'essaie de partir très vite, vite
Mais chaque fois, toi, tu pleures
Du bout du cœur

J'ai caché ton mouchoir
J'ai caché ton mouchoir
Je te dirai où plus tard
J'ai caché ton mouchoir
J'ai caché ton mouchoir
Tu peux pas pleurer ce soir

Tes larmes font des rigoles
Et ton rimmel est un limon
Qui s'écoule et qui se colle, colle
C'est pas beau, c'est pas beau,
Ni beau ni bon

J'ai caché ton mouchoir
Attention à ton fard
Tu serais pas belle à voir
J'ai caché ton mouchoir
Cache aussi ton cafard
Tu peux pas pleurer ce soir

Cache aussi ton cafard
Pour me dire au revoir
Puisque je m'en vais ce soir
Et jusqu'à mon départ
J'ai caché ton mouchoir
Tu peux pas pleurer ce soir
Tu peux pas pleurer ce soir
Tu peux pas pleurer ce soir.

*peut-être cette chanson est-elle
à l'origine de l'image de troubadour
qui m'a poursuivi si longtemps ?...
c'était seulement un délire médiéval...*

DANS LES JARDINS DES BALADINS

Dans les jardins
Des baladins
Lorsque les gens s'arrêtent un jour
C'est pour cueillir un peu d'amour
Et de bonheur
Le temps d'une heure
Et pour s'en réchauffer le cœur

Mais autrefois
Au temps des Rois
Il existait une légende
Les fleurs toujours
Sous leurs velours
Cachaient des philtres d'amour
Et leur chagrin
Dans un parfum
Pour attirer les baladins

Dans les jardins
Des baladins
Quelques pensées fleurissent un jour
En dessinant des mots d'amour
Sur des chemins
De parchemin
Jaillis du cœur d'un baladin

Et si parfois
Au temps des Rois
Ils inventaient quelques légendes
Les troubadours
Dans leurs discours
Cachaient des monceaux d'amour
Que le destin
Leur rendait bien
Au long des jours et des chemins

Dans leurs jardins
De parchemin
Les baladins vieillissent un jour
En écrivant des mots d'amour
Et leur bonheur
Le temps d'une heure
Viendra vous réchauffer le cœur

Si leurs pensées
Se sont fanées
Il ne faut pas verser de larmes
Mille rosées
En ont posé
Depuis les siècles ont passé
Et le chagrin
N'est qu'un parfum
Dans les jardins des baladins.

Le lierre mesure le temps en années
paisibles, il est le témoin muet, l'écran
de pudeur qui habille d'un manteau
vivant la maison et les souvenirs.

LE MUR DE LIERRE

Il s'est couvert de lierre
Le mur de la maison
Il s'est couvert de lierre
Et dans mon cœur au plus profond

Plus jamais ne repoussent
L'ortie ni le chardon
La vie devient plus douce
Et de l'hiver jusqu'aux moissons

Plus jamais ne repoussent
Ni ne repousseront
Les ronces ni la mousse
Ni le liseron

Mon rêve et mes chimères
C'est faire des chansons
Mais mon bonheur sur terre
Il est au cœur de ma maison

Plus tendre est la bergère
Plus belle est la chanson
Plus claire est ma rivière
Et plus sereine est ma raison

Le bonheur et le lierre
S'accrochent à la maison
Ni philtres ni sorcières
Ne nous sépareront

Si l'on bâtit la Terre
Sans cœur et sans passion
Il n'en restera guère
Au fil des jours et des saisons

Il reste de naguère
Les pierres et les chansons
Je n'ai que ma clairière
Et ton regard pour horizon

Je veux t'aimer bergère
À perdre la raison
Et faire un mur de lierre
Au mur de pierre de la maison.

J'avais vingt ans, le labyrinthe était dans ma tête. Aujourd'hui, il est dehors ...

LE LABYRINTHE

L'air de rien tu te révoltes
Et tu remets tout en question
Tes vingt ans tu les récoltes
Comme on fait une moisson
Dans ton cœur un labyrinthe s'est fait malgré toi
Tu t'y perds depuis longtemps déjà

L'air de rien tu vis des autres
Et les autres n'en savent rien
Tu deviens le grand apôtre
D'idées dont tu as besoin
Dans ton cœur le labyrinthe continue sa voie
Tu t'y perds depuis longtemps déjà

La tendresse qu'on te donne
Tu veux la donner aussi
Mais lorsque l'on t'abandonne
Tu n'as pas perdu la vie

Et l'air de rien avec réserve
Tu te donnes à qui te veut
Tu regardes et l'on t'observe
Quand tu parles avec les yeux
Dans ton cœur le labyrinthe se transformera
Tu t'y perds depuis longtemps déjà

Puis l'air de rien tu la découvres
Et elle remet tout en question
Tu la perds, tu la retrouves
Mais quand finit la chanson
Dans ton cœur le labyrinthe recèle un trésor
Tu t'y perdras bien longtemps encore.

guidé par la mélodie des mots...

VOLE À TIRE-D'AILE,
NAGE À TIRE-D'EAU

Vole à tire-d'aile
Nage à tire-d'eau
Va dire à ma belle
Que le Monde est beau
Que je suis sans elle
Que j'ai le cœur gros
D'un oiseau sans ailes
D'un poisson sans eau

Dis-le lui bien vite
Dis-le lui bien haut
Le jour finit si vite
Et la nuit vient si tôt

Vole à tire-d'aile
Nage à tire-d'eau
Va dire à ma belle
Que j'ai le cœur gros

Si elle m'est fidèle
Dis-le moi bientôt
Le temps la garde belle
Et si son ventre est gros

Vole à tire-d'aile
Nage à tire-d'eau
Viens me dire d'elle
Que le Monde est beau

Et dis à ma belle
Nage à tire-d'eau
Vole à tire-d'aile
Je reviens bientôt.

Je suis parti à la dérive sur l'image d'une femme qui attend le retour de son marin, et le vent qui m'a emporté presque malgré moi est devenu le sujet principal, avec son cortège de goélands, de cerf-volants et d'embruns, qui ressemblent à des larmes comme deux gouttes d'eau...

Cette chanson est aussi l'une de mes grandes victoires: deux cents pages d'écriture et deux ans de travail. Ce fut une longue traversée...

QUAND LES BATEAUX REVIENNENT

Quand les bateaux reviennent
Il reste sur leurs flancs
Des lambeaux décevants
Du vent qui les emmène
Quand les bateaux reviennent...
Et les marins du bord
Voient grandir la falaise
Et le curieux malaise
Et les lueurs du port
Où les femmes au matin
Frissonnant sous le châle
Ont la lèvre un peu pâle
Et le cœur incertain

Car c'est le même vent
Qui trousse leurs dentelles
Emporte leurs enfants
Puis les ramène à elles
Il donne aux goélands
Cette lenteur si belle
Et fait de leurs amants
Des marins infidèles

Quand les bateaux reviennent
On les attache au quai
La longe et le piquet
Pour seuls fruits de leur peine
Quand les bateaux reviennent...
Puis les marins s'en vont
Écrasés de fatigue
Même le sol navigue
Au cœur de leur maison
Le lit déjà défait
Se couvre de soupirs
Et les femmes chavirent
Et leur espoir renaît

Car c'est le même vent
Qui souffle leur chandelle
Un soir où le printemps
Les a trouvées moins belles
Il donne aux océans
Quelques rides nouvelles
Et montre aux cerfs-volants
Tous les chemins du ciel

Alors pour quelques jours
Le temps n'existe pas
C'est peut-être pour ça
Que les adieux sont lourds
Quand les bateaux repartent...
Les femmes au petit jour
À l'instant du départ
Cherchent dans leur mouchoir
Pour se compter les jours
Les grains déjà si lourds
Du chapelet d'ivoire
Et l'impossible amarre
Qui mène à leur amour

Mais c'est le même vent
Qui ramène au rivage
Un peu de l'Océan
Jusque sur leur visage
Où la mer et le temps
De passage en passage
Ont creusé le sillage
Étrange et fascinant

D'un bateau qui voyage...

Tous les fils de la vie se nouent, se tissent ou se mêlent, celui du temps, de l'eau, de la mémoire, et chacun devient ainsi le tisserand du fil de son histoire. J'ai écrit cette chanson pour Noëlle, qui m'a appris à remplir d'amour la trame du Temps...

TISSERAND

Mon ami tisserand
Tu tisses avec le fil des ans

La vie n'est qu'un fil éphémère
Chacun la tisse à sa manière
À la mesure de son talent
Depuis la nuit des Temps
Si tu devais tisser l'histoire
Avec le fil de ta mémoire
Et rattraper le temps perdu
Comment t'y prendrais-tu... ?
Mon ami tisserand
Si tu devais tisser le temps ?

Le temps sans fin se renouvelle
Il faudrait un fil éternel
Dont chaque point serait le monde
Enchaînant les secondes
Entre elles
Le présent n'est qu'une étincelle
Qui court sur un fil de dentelle
Pour assembler tous ses dessins
Qui sont à nos destins
Fidèles

Tisserand mon ami
Si tu devais tisser ceci... ?

Apprends-moi l'art de la lumière
Et tu verras que pour lui plaire
Je tisserai le fil de l'eau
Pour en faire un ruisseau
Peut-être même un univers
S'il faut tisser ma vie entière
À la mesure de son amour
Et faire au fil des jours
Un enfant, tisserand,
Si beau serait alors le temps...

Le temps de n'être plus qu'à elle
Qu'il faudrait un fil éternel
Aussi puissant qu'un océan
Mais doux comme un instant
Près d'elle
Le temps nous enroule et nous mêle
Il faudrait deux fils de dentelle
Aux couleurs pâles, un peu fragiles
Noués autour d'un fil
De miel

Mon ami tisserand
Si tu voulais tisser ce temps...

Moi j'écris des chansons nouvelles
Mais quelles que soient mes ritournelles
Je garderai du fil des mots
Le plus bel écheveau
Pour elle
Le fil des jours est un mystère
Mais si chacun à sa manière
À la mesure de son talent
Pouvait tisser son temps,

Tisserand, c'est ainsi
Que je voudrais tisser ma vie.

J'ai commencé ce texte dans un train, au retour d'un voyage en Belgique. Nous nous étions écrit Noëlle et moi plusieurs lettres que nous avions échangées en nous retrouvant. Sur l'une d'elles, il y avait les premiers vers de cette chanson.

UNE LETTRE

Une caresse du dedans
Quand on est seul et qu'on attend
Et qui se pose au fond du cœur
Le temps d'une heure
Ou d'un instant

C'est un cadeau qu'elle vient d'offrir
On a presque peur de l'ouvrir
Mais pour savoir ce qu'il recèle
C'est un peu d'elle
Que l'on déchire

C'est le papier qu'elle a tenu
Avec ses doigts tendres et nus
Pour qu'on la touche du regard
Un peu plus tard
Un peu ému

C'est le temps qui s'arrête enfin
Quand on est seul et qu'on est loin
C'est un peu d'elle qui voyage
Au long des pages
Et vous rejoint

Une lettre au lever du jour
C'est le plus doux des mots d'amour
Mais j'en lirai bien davantage
Sur ton visage
À mon retour...

Quatre pages c'était bien court...

J'ai voulu simplement laisser flotter une impression de quiétude, ouvrir une oasis de paix au milieu du tumulte de la ville.

LA VALLÉE TRANQUILLE

Ce filet d'eau qui chante en plein cœur des faubourgs
Ce ruisseau qui serpente en traversant ma cour
Il a touché mon cœur et j'ai compris qu'un jour
C'était une rivière et j'ai suivi son cours

Dans sa vallée tranquille, au large des hameaux
J'ai trouvé quelques îles à l'abri des bateaux
Quand la neige a fondu sur les nids des oiseaux
La terre a fait l'amour avec le fil de l'eau

C'est pour ça que ma voix n'est qu'une éclaboussure
Un bruissement de feuilles, un chevreuil au galop
La vie près des ruisseaux ressemble à l'aventure
Et leurs voix qui murmurent sont des sanglots

Il y a les bruits du monde en plein cœur des faubourgs
Dans les torrents qui grondent et que tu suis toujours
Mais si la vie s'écoule avec si peu d'amour
Qui sait quelle est la mer où finira son cours... ?

Dans ma vallée tranquille, au large des hameaux
J'ai gardé quelques îles à l'abri des bateaux
Quand la neige a fondu sur les nids des oiseaux
La terre y fait l'amour avec le fil de l'eau

Et la vie de nouveau ressemble à l'aventure
Quand le chevreuil s'endort à côté du ruisseau
Alors le bruit du monde est à peine un murmure
Et le bonheur ressemble au fil de l'eau.

J'aurais sans doute oublié tout
cela si je ne l'avais mis dans une
chanson. Une bulle d'enfance est
remontée vers la surface, et je m'aperçois
avec surprise qu'il n'y reste que le
bonheur ...

LES BATIGNOLLES

Quand je courais dans les rigoles
Quand je mouillais mes godillots
Quand j'allais encore à l'école
Et qu'il fallait se lever tôt
J'avais à peine ouvert la porte
Et vu la Méditerranée
J'étais déjà dans la mer Morte
Juste au pied du grand escalier
En attendant que quelqu'un sorte
Pour jaillir comme une fusée

Puis je descendais le grand fleuve
Qui partait de la rue de Lévis
Qui passait par la rue Salneuve
Et se perdait dans l'infini
Alors au square des Batignolles
Je passais le torrent à gué
Pour voir les pigeons qui s'envolent
Quand on court pour les attraper

Sur le pont guettant les nuages
On respirait la folle odeur
Qui se dégageait au passage
Des locomotives à vapeur
Et au cœur de la fumée blanche
Tout le reste disparaissait
On était dans une avalanche
Qui venait de nous avaler

J'étais un faiseur de miracles
Et tout le long de mon chemin
Je balayais tous les obstacles
D'un simple geste de la main
En regardant les feux quand même
Mais simplement pour traverser
Sûr que c'est moi qui sans problème
Décidais de les faire passer

Je cours encore dans les rigoles
Je veux encore me lever tôt
Et je vais encore à l'école
Pour apprendre à chanter plus beau
Mais j'ai grandi jusqu'aux nuages
Où je m'invente un univers
Bien plus tranquille et bien plus sage
Que ne l'est ce monde à l'envers.

Écrits presque d'un seul trait de plume comme un grand élan d'amour, les mots jaillissaient sur le carnet, je retenais mon souffle pour ne pas perdre le fil, et quand j'ai cru l'avoir perdu, déçu, j'ai relu. Mais le texte était fini.

J'ATTENDS

J'attends les grands sommets de la plus haute étoile
Où déposer ton cœur pour le garder vivant
J'attends de traverser la vie de salle en salle
De couloirs en entrées, de fauteuils en divans

J'attends de reposer sans peine et sans angoisse
Auprès de ton amour qui traverse les ans
J'attends de rassembler les morceaux de l'espace
Où nous vivrons tous deux jusqu'à la fin des temps

J'attends que l'Univers se réduise à nos cœurs
Afin d'être à l'abri des méchants et des fous
J'attends que nos instants s'éternisent en des heures
Et que le fil du temps s'enroule autour de nous

J'attends que le Printemps fleurisse la chaumière
Où je t'emmènerai passer l'éternité
J'attends que le Soleil soit fait de ta lumière
Et qu'une nuit l'hiver se transforme en été

J'attends que tous les bruits ne soient plus que musique
Et le fond de la Terre une source de miel
Et j'attends que jaillisse un geyser fantastique
Entraînant nos élans jusqu'au plus haut du ciel

C'est à toi que le Monde alors ressemblera
Et je t'épouserai pour la seconde fois.

C'est le fruit de mon travail, la
surprise de la découverte, le bonheur
de l'ouvrage accompli, qui remplit
le cœur de sa saveur irremplaçable,
la sensation d'être utile et de se
réaliser.
Il mûrit toujours...

LE FRUIT DE MON VERGER

J'ai cueilli dans ma vie des fruits de toutes sortes
J'en ai cueilli bien plus que n'en pouvais manger
Mais celui-là poussait juste devant ma porte
Aucun autre que moi ne l'a dans son verger

C'est lui qui rend la vie plus belle et plus paisible
Il est à lui tout seul la moitié du bonheur
Il pousse un peu trop haut, tout juste inaccessible
Et m'oblige à grandir pour le croquer du cœur

Il profite à vue d'œil de mes journées qui passent
Et s'épanouit le soir au coucher du soleil
Me guérit dans la nuit de mes peurs qu'il efface
Et retrouve au matin sa fraîcheur de la veille

Il comble mes silences et connaît mes rengaines
On dirait qu'il renvoie l'image de ma vie
Pour me donner courage et consoler ma peine
Me redonner raison au cœur de ma folie

J'ai découvert un jour, juste devant ma porte
Un pays si serein qu'il faut pour le trouver
S'ouvrir le cœur en grand pour que l'amour en sorte
Et découvrir la route en se laissant porter

C'est là que j'ai trouvé, caché dans la sagesse
Ce fruit miraculeux qui n'a d'autres saisons
Que celle de mon cœur, mais qui mûrit sans cesse
Et qui met la tendresse au cœur de mes chansons

Et j'ai cueilli depuis des fruits de toutes sortes
J'en ai cueilli bien plus que n'en pourrai manger
Mais celui qui mûrit juste devant ma porte
Aucun autre que moi ne l'a dans son verger.

Légère et sans prétention, elle n'avait d'autre ambition que d'être gaie, et de faire danser les mots, un peu comme les chansons de Trenet.

TARENTELLE

Vous avez appris la danse, danse
Vous avez appris les pas
Redonnez-moi la cadence, dence
Et venez danser avec moi
Ne me laissez pas la danse, danse
Pas la danser comme ça
Venez m'apprendre la danse, danse
Et la danser avec moi

Vous savez la Tarentelle, telle
Qu'on la dansait autrefois
Moi je vous montrerai celle, celle
Que demain l'on dansera
Si vous donnez la cadence, dence
Moi je vous donne le La
Je vous l'apprendrai là dans ce, dans ce
Dans ce joli petit bois

Et si vous aimez ma danse, danse
Et si vous aimez mon pas
On pourra danser je pense, pense
Aussi longtemps qu'on voudra
Mais ne me laissez pas là dans ce, dans ce
Pas là dans cet état-là
Ne pensez-vous qu'à la danse, danse
Dans ce joli petit bois

Quand le feuillage est si dense, dense
Quand le soleil est si bas
Que voulez-vous que l'on danse, danse
Dans les jolis petits bois
Quand votre robe s'élance, lance
Moi j'ai le cœur en éclats
Si vous perdez la cadence, dence
Serrez-vous bien dans mes bras

Et s'il arrive que même, même
Tout doucement dans le bois
J'aille vous dire je t'aime, t'aime
Et si le bonheur était là
Pour nous donner la cadence, dence
Pour nous donner le La
Et pour que tout recommence, mence
À tout petits tout petits pas

Vous avez appris la danse, danse
Vous avez appris les pas
Pour qu'on vous aime et je pense, pense
Que je vous aime déjà
C'est là que finit la danse, danse
Là dans l'ombre des bois
Mais notre amour qui commence, mence
Jamais ne s'arrêtera

C'est là que finit la danse, danse
Là, dans l'ombre des bois
Mais notre amour qui commence, immense
Jamais ne s'arrêtera.

*La peur du vide, Juste le
temps d'y penser ...*

LES BONHEURS PERDUS

Si les bonheurs perdus s'envolaient en fumée
Il y aurait des nuages
Il y aurait des nuages
Si les bonheurs perdus s'envolaient en fumée
Il y aurait des nuages en plein cœur de l'été

Mais si toi mon amour tu devais t'en aller
Il me pleuvrait si fort que j'en mourrais noyé
Et si notre bonheur s'envolait en fumée
Il y aurait un nuage autour du monde entier.

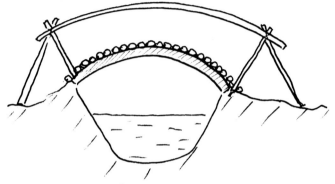

Le goût de l'effort gratuit :
ce petit pont nous a coûté, à Dany,
le frère de Noëlle et à moi, des
heures de travail assidu et méticuleux.

... mais il en reste la joie du
bonheur partagé.

LE PETIT PONT DE BOIS

Tu te souviens du pont
Qu'on traversait naguère
Pour passer la rivière
Tout près de la maison

Le petit pont de bois
Qui ne tenait plus guère
Que par un grand mystère
Et deux piquets tout droits

Si tu reviens par là
Tu verras la rivière
Et j'ai refait en pierre
Le petit pont de bois

Puis je l'ai recouvert
De rondins de bois vert
Pour rendre à la rivière
Son vieil air d'autrefois

Elle suit depuis ce temps
Son cours imaginaire
Car il ne pleut plus guère
Qu'une ou deux fois par an

Mais dans ce coin de terre
Un petit pont bizarre
Enjambe un nénuphar
Au milieu des fougères

Pour aller nulle part
Et pourtant j'en suis fier.

*Elle aurait pu s'appeler Céline,
Émilie, Juliane, Amandine, Delphine,
Léonore, cette petite fille avec son
cartable dans le dos, mais elle s'est
appelée Lucille.
Avec deux "l", pour mieux voler...*

LUCILLE ET LES LIBELLULES

Deux ou trois libellules en vol
Troublaient Lucille
Sur le chemin de son école
En pleine ville
Ces libellules en ville sont folles
Se dit Lucille
Qui les attrape avec un fil
Et puis s'envole

Deux ou trois libellules en vol
Portaient Lucille
Deux ou trois hirondelles en file
Suivaient leur vol
Elles sont arrivées sur une île
Si loin de son école
Que les lumières de la ville
Sont des lucioles

Les libellules disaient : « Lucille,
À notre école
Vois, c'est facile, tu bats des cils
Et tu t'envoles... »
Comme elles prononçaient ces paroles
Au même instant Lucille
Entendit au loin dans la ville
Sonner l'école

Deux ou trois libellules en vol
Suivaient Lucille
Sur le chemin de son école
En pleine ville
Pressant le pas, souple et gracile
Lucille frôlait le sol
Battant des cils d'un air tranquille
Vers son école...

*Martine allait à l'école Bd Arago,
je l'y accompagnais chaque jour depuis
l'Avenue de l'Observatoire. Passant
le long des murs de la Prison de la
Santé, je frissonnais à l'idée de
l'autre côté...*

LE MUR DE LA PRISON D'EN FACE

En regardant le mur de la prison d'en face
J'entends tous les ragots
Et les bruits des autos
Boulevard Arago
Qui passent
Sur les toits des maisons
Qui servent d'horizon
Un bout de la tour Mont-
Parnasse

L'hiver on voit les gens dans les maisons d'en face
L'été les marronniers
Les cachent aux prisonniers
Et les bruits du quartier
S'effacent
Quand l'école a fermé
Combien ont dû penser
Au jour de la rentrée
Des classes

En regardant le mur j'imagine à sa place
Les grillages ouvragés
D'un parc abandonné
Explosant de rosiers
D'espace
Les grillages ouvragés
D'un parc abandonné
Où les arbres emmêlés
S'enlacent

En regardant le mur de la prison d'en face
Le cœur un peu serré
D'être du bon côté
Du côté des autos
Je passe
Et du toit des maisons
Qui ferment l'horizon
Un morceau de la Tour
Dépasse.

*1968. Une de mes premières chansons.
Je ne me doutais pas encore que je la
chanterai ...*

LA PUCE ET LE PIANISTE

Un jour sur un piano
Une puce élut domicile
Elle posa son sac à dos
Ses affaires de ville
Elle avait beaucoup voyagé
Beaucoup sauté, beaucoup piqué
Et pour ne pas qu'on la voie
Sur une noire, elle s'installa

Mais soudain la lumière apparut
Et des sons frappèrent son oreille
Une main lui marchait dessus
Sa colère fut sans pareille
Elle suivit ses évolutions
Avec des yeux pleins d'attention
Pour essayer de grimper
Sur la main qui l'avait piétinée

Lorsque enfin elle y parvint
Elle affina son aiguille
Et se mit à piquer la main
Tout en dansant le quadrille
Mais soudain la main s'agita
Et son rythme s'accéléra
Et la puce tout excitée
De plus belle se remit à piquer

Dans la douleur et la démangeaison
La main se faisait plus rapide
Ne suivait plus la partition
Et n'avait plus aucun guide
Mais dans la salle on applaudissait
Sans deviner que c'était
Grâce à une puce énervée
Que le jazz était né.

médecin passionné et passionnant, sa maison était comme un arbre aux fruits inoubliables. On en ressortait grandi et rassasié. Il irradiait l'enthousiasme. Je ne l'ai pas connu longtemps, mais suffisamment quand même pour qu'il m'apprenne à regarder le monde à sa façon, avec bienveillance et sans complaisance, et pour qu'il me confie Noëlle et Martine, se sachant condamné, quand il aurait disparu...

PETIT PATRON

En hommage au Petit Docteur

Tu m'as laissé sur le chemin
Pour me guider de loin en loin
La moitié de ton âme
Une petite flamme
Qui vacille de temps en temps
Petit Docteur qui dors
Quand elle revoit le joli temps
Où tu vivais encore

Repose au cœur des orchidées
Petit Patron des naufragés
Ton petit cimetière
Est grand comme la terre
Et dans le cœur des gens heureux
Petit Docteur tu dors
Pleure le cœur des amoureux
Petit Patron est mort

Petit Patron des nénuphars
Repose au cœur de nos mémoires
Ton travail n'est pas terminé
Tu dors sur tes lauriers
Mais c'est pour la première fois
Petit Docteur qui dors
Mais c'est pour la dernière fois
Petit Patron est mort

Repose au cœur des orchidées
Petit Patron des mille idées
Du petit cimetière
Tu guéris ma misère
Que les hivers te soient cléments
Petit Docteur qui dors
J'aurais le cœur bien plus content
Si tu vivais encore
Petit Docteur de mon printemps
Parfois quand on s'endort
Elle pleure encore de temps en temps
Petit Patron est mort.

L'un des risques majeurs, dans notre métier, c'est de se prendre au sérieux, d'attraper la grosse tête.
— Alors, pour exorciser...

LES P'TITES CASQUETTES

On r'prend pas nos p'tites chansons dans les guinguettes
On n'entend pas nos refrains sur les boulevards
On voit pas nos noms partout dans les gazettes
On met pas nos cœurs à nu dans les canards

On a tell'ment peur d'attraper la grosse tête
Que pour s'en apercevoir
On va tous bientôt s'acheter une p'tite casquette
Et l'essayer tous les soirs

On n'apprend pas nos chansons dans les écoles
On mettra pas nos refrains dans les musées
Les paroles on les écrit pour qu'elles s'envolent
Les musiques on les écrit pour s'amuser

On a beau graver nos voix dans la résine
Et passer sous des saphirs et des diamants
On a beau changer les plateaux en platines
On a beau changer les chansons en argent

On r'prend pas nos p'tites chansons dans les guinguettes
On n'entend pas nos refrains dans les couloirs
On n'est ni des cabotins ni des poètes
On a simplement le cœur à s'émouvoir

On a tellement peur d'attraper des vertiges
En tournant sur des phonos
Qu'on va tous apprendre à faire de la voltige
Pour ne pas tomber de haut

Et comme on peut pas nous mettre une étiquette
On nous met dans les « divers » et les bizarres
On r'prend pas nos p'tites chansons dans les guinguettes
On n'entend pas nos refrains sur les boulevards

On n'apprend pas nos chansons dans les écoles
On mettra pas nos refrains dans les musées
Les paroles on les écrit pour qu'elles s'envolent
Les musiques on les écrit pour s'amuser

On r'prend pas nos p'tites chansons dans les guinguettes
On n'entend pas nos refrains sur les boulevards
Mais le soir dans nos maisons quand tout s'arrête
Reste encore un peu d'amour
Reste encore un peu d'espoir
Reste encore un peu d'amour dans nos guitares.

Reste encore un peu d'amour dans nos guitares.

L'été 77 au Portugal ; Martine
avait 13 ans, et un grand vague à
l'âme, ce jour-là, que rien ne semblait
pouvoir dissiper. Devant ce chagrin
sans raison, désarmé, à bout de phrases,
je l'ai laissée partir avec Noëlle à
la plage, l'âme en peine.

J'ai écrit ce texte pour elle, en
deux heures, sur la musique composée
deux semaines auparavant, et quand
elles sont rentrées, j'ai chanté sa
chanson à Martine. Sa tristesse
s'est envolée dans l'émotion, son
cœur s'est ouvert dans ses yeux, et
les larmes qui ont coulé faisaient du
bien...

PRENDRE UN ENFANT

Prendre un enfant par la main
Pour l'emmener vers demain
Pour lui donner la confiance en son pas
Prendre un enfant pour un roi
Prendre un enfant dans ses bras
Et pour la première fois
Sécher ses larmes en étouffant de joie
Prendre un enfant dans ses bras

Prendre un enfant par le cœur
Pour soulager ses malheurs
Tout doucement, sans parler, sans pudeur
Prendre un enfant sur son cœur
Prendre un enfant dans ses bras
Mais pour la première fois
Verser des larmes en étouffant sa joie
Prendre un enfant contre soi

Prendre un enfant par la main
Et lui chanter des refrains
Pour qu'il s'endorme à la tombée du jour
Prendre un enfant par l'amour
Prendre un enfant comme il vient
Et consoler ses chagrins
Vivre sa vie des années puis soudain
Prendre un enfant par la main,
En regardant tout au bout du chemin

Prendre un enfant pour le sien.

Quand Noëlle est entrée dans ma vie, c'est comme si elle avait allumé la lumière autour de moi. Elle a ouvert des portes dont j'ignorais l'existence, et m'a montré des chemins que je n'aurais pas soupçonnés...

IL ME MANQUAIT TOUJOURS

Jamais une autre source
N'arrêtera ma course
C'est le fil de ton eau qui trace mon chemin
Je me perdrais sans doute
En suivant d'autres routes
Pour arriver jusqu'à demain...

Parfois je pense à tout ce temps
Pour arriver jusqu'à toi
À ces méandres un peu lassants
Que la vie met sous nos pas
Si j'ai trouvé le chemin
Pour arriver jusqu'au tien
J'ai traversé tout l'Univers
Avec mon cœur en bandoulière

Il me manquait toujours
Une pierre à ma maison
Une heure au fil des jours
Un mot dans ma chanson
Il me manquait alors
Une aile à mon moulin
Je n'avais pas encore de fruit dans mon jardin
Il me manquait alors
Une aile à mon moulin
Pourtant je ne manquais de rien

Je savais bien qu'un jour la vie
M'apporterait le beau temps
Et je prenais les éclaircies
Pour le début du printemps
Mais j'ignorais qu'un matin
Pourrait changer mon destin
Et dans mon cœur à ciel ouvert
Ensoleiller tout l'Univers

Il me manquait toujours
Une pierre à ma maison
Une heure au fil des jours
Un mot dans ma chanson
Le bonheur semblait là
À peine un peu plus loin
Mais il manquait toujours un mètre à mon chemin
Le bonheur semblait là
À peine un peu plus loin
Pourtant je ne manquais de rien

Voilà pourquoi de tout ce temps
Que la vie met sous nos pas
De ces méandres un peu lassants
Pour arriver jusqu'à toi
Je me souviens d'un matin
Où j'ai croisé ton chagrin
Et j'ai compris tout l'Univers
Dans un regard de tes yeux verts

Il peut manquer toujours
Une pierre à ma maison
Une heure au fil des jours
Un mot dans mes chansons
Il peut manquer surtout
Un siècle à mon destin
Si tu fais près de moi le reste du chemin
Il peut manquer surtout
Un siècle à mon destin

Je ne manquerai plus de rien.

*La seule chanson que j'ai rêvée,
puis écrite telle quelle au sortir de
mon sommeil.*

LE PIANO DE MÉLANIE

Au plus profond de ma mémoire
Je l'ai cherchée sans la voir
Si son visage était doux
Son image était trop floue

Au plus profond de mon sommeil
Il n'y a qu'un grand soleil
Formant toile de décor
À la forme de son corps

Et sa silhouette s'anime
Et soudain je l'imagine
Elle ne vit que par mon rêve

Et du piano de Mélanie
Sous ses doigts qui prennent vie
S'élève une mélodie

...Je m'éveille et je l'écris.

Ma profession de foi, mon
curriculum vitae de fantaisie,
sur une musique tellement
obsédante que tout le personnel
navigant d'Air France m'a
maudit pendant les six mois où
elle a été au programme des
décollages et des atterrissages de
tous les avions...

J'AI LA GUITARE
QUI ME DÉMANGE

J'ai la guitare qui me démange
Alors je gratte un p'tit peu
Ça me soulage et ça s'arrange
Mais ça fait pas très sérieux

Pardonnez-moi c'est très étrange
Ça me prend là où ça veut
C'est la guitare qui me démange
Alors je gratte un p'tit peu

J'aurais pu c'est héréditaire
Être officier d'état-major
Archevêque ou vétérinaire
Clerc de notaire ou chercheur d'or

Le hasard et la génétique
En ont voulu tout autrement
J'ai mis les doigts dans la musique
Et c'est ainsi qu'à présent...

J'ai la guitare qui me démange
Alors je gratte un p'tit peu
Ça me soulage et ça s'arrange
Mais ça fait pas très sérieux

Dans l'industrie l'électronique
Le commerce ou les assurances
J'avais des dons pour la pratique
Oui mais côté références...

J'ai la guitare qui me démange
Alors je gratte un p'tit peu
Ça fait du bien dans les phalanges
Mais ça fait pas très sérieux

Y a rien à faire pour que ça change
Faut se faire une raison
J'ai la guitare qui me démange
Alors j'écris des chansons.

J'ai appris à lire à écrire
Et je compte sur mes dix doigts
Pour composer de doux délires
À partir de n'importe quoi

Ne croyez pas que je m'amuse
Que je cours après les honneurs
Si je taquine un peu la muse
C'est pas pour les droits d'auteur...

C'est la guitare qui me démange
Alors je gratte un p'tit peu
Ça me soulage et ça s'arrange
Mais au bout d'une heure ou deux

Quand je me prends pour un artiste
Ça donne un résultat miteux
Ça me rend profondément triste
Et quand je suis malheureux...

J'ai la guitare qui me démange
Alors je gratte un p'tit peu
Ça me soulage et ça s'arrange
Mais c'est un cercle vicieux

Y a rien à faire pour que ça change
Faut se faire à cette idée
J'ai la guitare qui me démange
Alors j'essaie de chanter.

J'ai consulté un spécialiste
Pour me guérir mais sans succès
Il m'a dit si le mal persiste
Essayez de prendre un cachet

Avant même que je le comprenne
J'étais déjà devenu chanteur
Et c'est pour ça que sur la scène
Entre les deux projecteurs...

J'ai la guitare qui me démange
Alors je gratte un p'tit peu
Ça me soulage et ça s'arrange
Et si c'est pas très sérieux

C'est la plus belle leçon de musique
Que j'ai reçue depuis toujours
C'est la meilleure thérapeutique
Quand j'ai des chagrins d'amour...

J'ai la guitare qui me démange
Alors je gratte un p'tit peu
Ça me soulage et ça s'arrange
Et quand je serai très vieux

À ma mort je veux qu'on m'installe
Avec ma guitare à la main
Si vous voyez ma pierre tombale
Qui gigote à la Toussaint...

C'est la guitare qui me démange
Alors je gratte un p'tit peu
Dans les nuages avec les anges
Et tout là-haut dans les cieux

Pardonnez-moi si ça dérange
Ça me prend là où ça veut
C'est la guitare qui me démange
Alors je gratte un p'tit peu

Y' a rien à faire pour que ça change
Et si dans un jour ou deux
Y' a la guitare qui vous démange
Alors c'était contagieux.

C'est la maison du petit pont de bois, elle a contribué à l'image bucolique de mes chansons, mais je n'y ai appris ni le bricolage ni la culture... Simplement, nous y avons été heureux, j'y ai écrit des chansons, baigné dans un passé très présent, et c'est là qu'avec nos amis, pendant trois beaux jours, nous avons fêté notre mariage.

DANS LA MAISON
DE NORMANDIE

Dans la maison de Normandie
Tout a rouillé, tout a jauni
Mais le bonheur est encore là, blotti

Dans les détails, dans les taillis
Dans les fleurs qui n'ont pas fleuri
Et le bonheur est dans mon cœur aussi

L'herbe rase et les pommiers morts
Rien n'est triste dans ce décor
On dirait de l'amour qui dort

Ici les arbres ont une histoire
C'est mon passé, c'est ma mémoire
Et mon chagrin s'est endormi un soir

L'herbe rase et les pommiers morts
Rien n'est triste dans ce décor
On dirait de l'amour qui dort

Ici le temps s'est engourdi
Rien n'a changé, rien n'a vieilli
Et la pendule s'est arrêtée aussi

Il ne meurt que ce qu'on oublie
Mais la fête était si jolie
Rien n'a pu l'effacer depuis

Dans la maison de Normandie
Les tuiles s'envolent, l'air chaud s'enfuit
La cheminée refoule un peu la nuit

Dans la maison de Normandie
Tout a rouillé, tout a jauni
Mais le bonheur est toujours là,
Blotti.

Il y a parfois des instants magiques
où ce que l'on ressent se traduit
directement sur le papier et dans la
musique.
L'écriture de cette chanson m'a
guéri de la mélancolie de ce matin
difficile,

..." pour oublier dans le bonheur
qu'on donne, qu'il y a des jours où
l'on n'est plus personne..."

MÉLANCOLIE

Il y a des jours où quand le jour se lève
On voudrait rentrer tout au fond d'un rêve
Et puis soudain lorsque le clocher sonne
Il y a des jours où l'on n'est plus personne

Alors on ferme les yeux un instant
Quand on les rouvre tout est comme avant
Les gens vous voient mais leur regard s'étonne
Il y a des jours où l'on n'est plus personne

Comme au milieu d'un cinéma désert
On rembobine et tout passe à l'envers
Et quand on pense aux gens qu'on abandonne
Il y a des jours où l'on n'est plus personne

Ouvrir son cœur à tous les vents qui passent
Et qu'un matin tous les chagrins s'effacent
Pour oublier dans le bonheur qu'on donne
Qu'il y a des jours où l'on n'est plus personne

Qu'il y a des jours où quand le jour se lève
On voudrait rentrer tout au fond du rêve
Et s'endormir lorsque le clocher sonne

Il y a des jours où l'on n'a plus personne.

Nos routes s'étaient croisées
à sa sortie de prison...

LES CHEMINS DE LA LIBERTÉ

Il nous a montré le chemin
Qui montait jusqu'à sa maison
Dans le brouillard dans le crachin
On se serait perdus sinon

Il avait l'air heureux, serein
Et quand on est entré chez lui
La cuisine avait des parfums
Le couvert était déjà mis

Le sourire lui montait du cœur
Son regard avalait nos yeux
Et quelquefois au fil des heures
Il était grave et silencieux

Tout était vraiment comme avant
Et pourtant rien n'était pareil
Le lendemain c'était beau temps
Couleurs d'automne et plein soleil

On a marché dans les collines
Et couru dans la boue des champs
En s'accrochant dans les épines
Comme feraient de petits enfants

Puis on a repris nos bagages
Avec l'envie de revenir
Remplir nos yeux de son visage
Et nos cœurs de son souvenir

En venant j'étais un peu triste
Et le cœur me serrait un peu
Il y a des jours où tout résiste
On a du mal à être heureux

Lui venait de finir sa peine
Où les mois ressemblent aux années
Il voulait voir couler la Seine
Écouter les oiseaux chanter

Et c'est lui qui sans le savoir
Et c'est lui qui sans s'en douter
M'a fait redécouvrir l'espoir
Les chemins de la liberté.

Je suis fasciné par la somme de
hasards qui aboutissent à ce que nous
sommes dans l'instant présent.
J'ai retrouvé ce même étonnement
chez René Barjavel qui lui, a
conclu qu'il ne pouvait s'agir de
hasards, mais de l'expression d'une
volonté dont le but nous échappe, et
qui s'exprime sans cesse par la vie

LE BÛCHERON

Il a fallu qu'un jour un bûcheron se lève
Abatte un beau cyprès pour vendre à la scierie
Qu'un amateur de bois pour faire sécher la sève
Attende patiemment la moitié de sa vie

Il a fallu qu'un jour un bateau le transporte
Et qu'un vieil artisan le préfère au sapin
Que je m'arrête enfin sur le seuil de sa porte
Et qu'avec un sourire il m'ait serré la main

Voilà comment ce soir, je joue sur ma guitare
L'incroyable voyage à travers les années
D'une graine emportée par un vent dérisoire
Pour devenir guitare au fond d'un atelier

C'est la chaîne sans fin des détails innombrables
Qui fabrique nos jours et ressemble au destin
Qui fait tomber la pluie sur les déserts de sable
Et s'épanouir les fleurs au cœur de mon jardin

Chacun n'est qu'un maillon de cette chaîne immense
Et ma vie n'est qu'un point perdu sur l'horizon
Mais il fallait l'amour de toute une existence
Pour qu'un arbre qui meurt devienne une chanson

Dont les mots, par hasard, par des sentiers bizarres
Vont trouver leur bonheur au bout de nos chagrins
Et le temps, peu à peu, s'endort dans nos mémoires
Pour nous faire oublier qu'au début du chemin...

C'est la chaîne sans fin des détails innombrables
Qui fabrique nos jours et ressemble au destin
Qui fait tomber la pluie sur les déserts de sable
Et jaillir la musique aux doigts des musiciens

Je n'étais qu'un maillon dans cette chaîne immense
Et ma vie n'est qu'un point perdu sur l'horizon
Mais il fallait l'amour de toute une existence
Pour qu'un arbre qui meurt devienne une chanson

Mais il fallait l'amour de toute une existence
Pour qu'un arbre qui meurt devienne une chanson.

J'ai toujours cet agenda, sur une page duquel un soleil marque le premier jour de notre vie ensemble.

LE SOLEIL SUR L'AGENDA

Ce jour-là c'était un soleil
Griffonné sur mon agenda
Le printemps faisait des merveilles
Ce jour-là

J'étais bien, tu étais sereine
Et je sais qu'à cent lieues de là
J'ai dû faire beaucoup de peine
Ce jour-là

L'amour fait de l'équilibre
Sur le fil de nos jours
On se prend pour un oiseau libre
Et un jour

Un jour
On vous appelle « mon amour »
On est deux, tout paraît moins lourd
Et la vie continue son cours

On pleure
Puis on rit d'avoir eu si peur
On est bien jusqu'au fond du cœur
On vous appelle « mon bonheur »

Ce jour-là, j'avais rendez-vous
Avec le reste de ma vie
Sans savoir qu'il était si doux
Si joli

Aujourd'hui c'est toujours pareil
Et depuis sur mon agenda
Chaque année j'ajoute un soleil
Ce jour-là

L'amour est en équilibre
Sur le fil de nos jours
On se prend pour un oiseau libre
Et un jour

Un jour
Elle vous appelle « mon amour »
Avec tant de douceur autour
Que la vie en suspend son cours

On meurt
Avec une infinie lenteur
On est bien jusqu'au fond du cœur
Elle vous appelle « mon bonheur »

Je venais retrouver mon cœur
Qui dormait à côté de toi
C'était un matin de bonne heure
Souviens-toi

Ce jour-là c'était un soleil
Griffonné sur mon agenda
Le printemps a fait des merveilles
Ce jour-là.

Martine a 15 ans, son cœur commence à s'ouvrir au dehors, il faut qu'elle sache que mon amour pour elle reste le même.

PETITE FILLE

Petite fille qui ris dans ma maison
Tes yeux sont des soleils ton cœur un horizon
Tes cheveux de ruisseau coulant sur ton épaule
Tu t'envoles et me frôles

Un grand vent est entré dans ton cœur un matin
Pour chasser les nuages au cœur de tes chagrins
Et tu sais déjà dire les plus beaux mots d'amour
Que j'ai su dire un jour

Petite fille ton cœur c'est ma maison
Tu vis dans un soleil qui défie les saisons
Il faut garder ton âme aussi claire que l'azur
C'est un souffle d'air pur

J'ai la gorge serrée quand je pense à demain
Ce garçon qui viendra me demander ta main
C'est déjà mon ami c'est déjà mon copain
Comme tu as grandi soudain

Petite fille tu dors dans ma maison
Et pendant ton sommeil moi j'écris des chansons
Je n'ai jamais aimé d'un amour si profond
D'un amour si profond

La vie ne m'avait fait de cadeau plus subtil
Que la pincée de sel qui brille entre tes cils
Depuis que ton destin s'enroule à mon histoire
Regarde ton miroir

On dirait que le monde a créé le printemps
Pour fêter tes quinze ans.

*Chanson prophétique : le jour
où je l'ai finie, à des milliers de
kilomètres de là, le papa et la maman
d'Amandine se mariaient, en secret...*

LA MAMAN D'AMANDINE

La maman d'Amandine
Veut que son amant dîne
Amandine a dit non

L'amant de la maman
D'Amandine indigné
Redemande à dîner

« Non, tu es mon papa
Mais pourquoi n'es-tu pas
Le mari de maman ? »

Et papa lui répond
Que quand on se marie
C'est beaucoup moins marrant

Amandine a mangé
Tout s'est bien arrangé
Dans le petit salon

La maman d'Amandine
Amidonne les jeans
Et recoud les boutons

Le papa se bidonne
Et quand maman s'étonne
Il demande pardon

« Je pars ce soir pour Vienne
Attends que je revienne
Et nous nous marierons

Pas de cloches qui sonnent
On dit rien à personne
Et tout est comme avant... »

Papa et maman dînent
À côté d'Amandine
Et tout l'monde est content.

La fin des années d'angoisse.
Après la mort de la grand-mère de Noëlle, et celle, deux jours plus tard de Pierrot, notre ami ("les gens sans importance") il fallait se reprendre, faire face au chagrin. Ce fut l'occasion de faire un grand ménage dans ma tête. Je prenais ma vie en main.

J'ai fait le tour de mes malheurs
Et j'ai compris tous mes bonheurs...

TRENTE ANS

Qu'est-ce que c'est bien d'avoir trente ans
On se moque de l'air du temps
On est encore dans la jeunesse

À cheval sur les souvenirs
On a le temps de voir venir
La vieillesse

On parle beaucoup des tourments
Des problèmes avec les enfants
Des querelles et des jours de peine

Mais quand parfois on est content
Qu'est-ce que c'est bien d'avoir trente ans
Quand on aime

On croit toujours que les tourments
Font cortège avec les printemps
Qui se posent sur nos épaules

Mais la légende a fait son temps
Moi je suis plus heureux qu'avant
Comme c'est drôle

Qu'est-ce que c'est bien d'avoir trente ans
Quand je repense à tout ce temps
Je me souviens de ma détresse

De mes premiers chagrins d'amour
Des années tendres au cœur si lourd
De tristesse

J'aurais donné toute ma vie
Pour être plus vite aujourd'hui
Pour échapper à mon silence

J'ai gravi les marches du temps
Qu'est-ce que c'est bien d'avoir trente ans
Quand j'y pense

On croit toujours que tout s'éteint
Que le temps défait les chemins
Que les rues sont toujours les mêmes

Mais la légende a fait long feu
Moi mon chemin c'est un ciel bleu
Et je t'aime

Si je t'écris ces mots d'amour
C'est pour te dire que si un jour
Je t'ai fait pleurer, ma tendresse

C'était les derniers soubresauts
De mes peurs et de mes sanglots
De jeunesse

Et puis pour dire à ton petit
Dont les yeux se sont assombris
Que j'ai pleuré pour des nuages

Que j'ai passé par son chemin
Avec ma tête entre mes mains
À son âge

Je t'ai attendue bien longtemps
Mais pour t'aimer plus tendrement
Je n'ai plus rien qui me retienne

Je n'ai plus mal à mon passé
Le présent a tout effacé
De mes peines

Mais j'ai toujours mon cœur d'enfant
Et pour s'aimer tout simplement
Qu'est-ce que c'est bien d'avoir trente ans.

*J'ai toujours eu envie de voler,
deltaplane, ULM, parachute, planeur,
Jonathan Livingston le goéland
sommeille en moi'...*

FAIS-MOI DES AILES

Toi qui fais les bêtes
Fais-moi des ailes
Les poules et les chouettes
En ont bien, elles
Et les tourterelles
Et les étourneaux
Et quelques poissons dans l'eau

Suivre les étoiles
Au bout du ciel
De plumes ou de toile
Fais-moi des ailes
Comme aux tourterelles
Comme aux goélands
Et comme aux moulins à vent

Les pieds me brûlent depuis bien longtemps
Et la Terre, notre Terre, notre bonne vieille Terre
A fini de m'étonner vraiment
Il me faut de l'air
De l'air et du vent

Toi qui fais les bêtes
Les hirondelles
Et les alouettes
Fais-moi des ailes
Comme aux tourterelles
Comme aux goélands
Et comme aux tapis volants

Suivre les nuages
Les arcs-en-ciel
Et les oies sauvages
Fais-moi des ailes
Comme aux tourterelles
Comme aux goélands
Et comme à mon cerf-volant

Voir le soleil d'un peu plus près qu'avant
Et la Terre, notre Terre, notre bonne vieille Terre
Avec ses mers et ses océans
Il me faut de l'air
De l'air et du vent

Toi qui fais les bêtes
Fais-moi des ailes
Les poules et les chouettes
En ont bien, elles
Et les tourterelles
Et les étourneaux
Et quelques poissons dans l'eau.

*Une bouffée d'Irlande, où j'ai
chanté dans des tavernes quand je
commençais à écrire mes premières
chansons.*

JOHN

John était amoureux
Ça se voyait un peu
Il avait un air si bizarre
Et veillait si tard
Il buvait tant de vin
Que souvent le matin
On pouvait l'entendre
De l'étang jusqu'au moulin

La fille aux longues mains
Ne disait jamais rien
Et le pauvre John pensait bien
Qu'à veiller dehors jusqu'au lever du jour
Il en crèverait ou bien de froid ou bien d'amour

John avait un béguin
Ça se voyait un brin
Quand il tapait sur sa poitrine
En buvant du gin
Il avait l'œil hagard
Buvait toujours à part
Poussait des hurlements
Qui faisaient fuir le vent

Mais la fille aux longues mains
Ne disait jamais rien
Et le pauvre John pensait bien
Qu'à veiller dehors jusqu'au lever du jour
Il en crèverait ou bien de froid ou bien d'amour

John était amoureux
Il en a fait l'aveu
Depuis la rivière au port
On en rit encore
Le soir au coin du feu
On écoute les vieux
Raconter l'histoire
De John l'amoureux

Il aimait la statue
D'une belle inconnue
Morte cent ans auparavant
Dans un ouragan
Il allait tous les jours
Lui dire son amour
Et noyait sa peine
Dans un verre à son retour

La fille aux longues mains
Ne dirait jamais rien
Et le pauvre John savait bien
Que dans la statue était son cœur et qu'un jour
Il en crèverait ou bien de froid ou bien d'amour.

*En souvenir de mon enfance, où
je voyais déjà mon destin auréolé
de musique et de spectacle ...*

L'OPÉRA

Je n'étais qu'un petit garçon
J'étais tout seul à la maison
Mes parents pour un soir
Étaient allés voir
Un Opéra
J'en avais pour un bon moment
Ça n'arrivait pas si souvent
C'était comme une trêve
C'était comme un rêve
Comme l'Opéra

J'étais dans un château fort
J'avais une épée en or
Je me battais comme un fou
Par amour pour vous
Je me prenais pour un roi
Par amour pour toi

Je n'étais qu'un petit garçon
Mes paroles étaient des chansons
Il n'y avait ni tambour
Ni baryton pour
Mon Opéra
Mais dans mon imagination
Il y avait dix mille violons
Qui jouaient ma victoire
Faisaient de ma gloire
Un Opéra

J'étais dans un château fort
J'avais mon épée en or
Je me battais comme un fou
Rendant coup sur coup
Je me prenais pour un roi
Par amour pour toi

Et devant l'enfant que j'étais
Toute la maison devenait
Une scène, un décor
Et c'était alors
Mon Opéra
Je m'endormais sur les trois coups
Qui n'étaient peut-être après tout
Qu'un volet qui battait
Quand ils revenaient
De l'Opéra

J'étais dans mon château fort
J'avais mon épée en or
Je me battais comme un fou
Par amour pour vous
Je me battais comme un roi
Par amour pour toi

Je n'étais qu'un petit garçon
J'étais tout seul à la maison
Mes parents pour un soir
Étaient allés voir
Un Opéra...

*Écrit face à la mer, à Agadir
au Maroc, à la tombée du jour,
devant le flamboiement des nuages.
Impressions, soleil couchant.*

COUCHER DE SOLEIL

Dans les eaux de la mer
On voit des reflets d'or
Quand le soleil s'endort
Dans les bras de la mer

Et le ciel se repose
La mer est un miroir
Où son bleu devient noir
Et ses nuages roses

Quand le soleil s'éteint
Les étoiles de mer
Font un ciel à l'envers
Où dorment les dauphins

Dans les eaux de la mer
On voit des reflets d'or
Quand le soleil s'endort
Dans les bras de la mer.

*Je suis subjugué par les gens qui
n'ont rien à dire, mais qui le disent
si bien que tout le monde les écoute…
Un peu jaloux, même…*

ÇA N'EST PAS C'QU'ON FAIT
QUI COMPTE

Ça n'est pas c'qu'on fait qui compte
C'est l'histoire
C'est l'histoire
La façon dont on l'raconte
Pour se faire valoir

L'important dans la bataille
C'est l'histoire
C'est l'histoire
Qu'on découpe ou qu'on détaille
Selon l'auditoire

Face aux Sarrazins d'Espagne
En voyant son olifant
Les soldats de Charlemagne
Disaient à Roland :

Ça n'est pas c'qu'on fait qui compte
C'est notoire
C'est notoire
Ça n'est pas c'qu'on fait qui compte
C'est l'histoire.

La glorieuse Histoire de France
Est truffée d'assassinats
De massacres et de violence
Et autres coups d'État

Après tout quand on y pense
Bonaparte et Attila
Ont plus d'morts sur la conscience
Que Landru et Borgia

C'est quand même un peu étrange
Quand on repense au passé
On dirait que les temps changent
Et qu'à la vérité

Ça n'est pas c'qu'on fait qui compte
C'est l'histoire
C'est l'histoire
La façon dont on l'raconte
Pour se faire bien voir

L'important dans la bataille
C'est l'histoire
C'est l'histoire
Qu'on découpe ou qu'on détaille
Selon l'auditoire

On inverse un peu les rôles
On rajoute un p'tit morceau
Ça rend les récits plus drôles
Et pour être un héros

À l'heure où l'on fait les comptes
Pour la gloire
Pour la gloire
Ça n'est pas c'qu'on fait qui compte
C'est l'histoire

L'aventure est éphémère
Mais si la vie n'a qu'un temps
Le récit qu'on peut en faire
Dure indéfiniment

Et pour peu qu'on soit habile
À savoir où va le vent
On peut être indélébile
Jusqu'à la fin des temps

Comme le nez de Cléopâtre
Dagobert son pantalon
La poule au pot d'Henri IV
Ou le vase de Soissons

Ça n'est pas c'qu'on fait qui compte
C'est l'histoire
C'est l'histoire
La façon dont on l'raconte
Pour se faire bien voir

L'important dans la bataille
C'est l'histoire
C'est l'histoire
Qu'on découpe ou qu'on détaille
Selon l'auditoire

Dans les débats politiques
Juste avant les élections
Aux moments les plus critiques
À la télévision

À l'heure où l'on fait les comptes
C'est notoire
C'est notoire
Ça n'est pas c'qu'on fait qui compte
C'est l'histoire

Lorsque par inadvertance
Si on a vraiment besoin
Dans des cas d'extrême urgence
On assomme un crétin

On n'a pas toujours la chance
D'avoir des témoins pour soi
Quand on est dans l'existence
Un peu maladroit

Dans les grands procès d'assises
On assiste quelquefois
À de drôles de vocalises
Et suivant l'avocat

Ça n'est pas c'qu'on fait qui compte
C'est l'histoire
C'est l'histoire
La façon dont on l'raconte
Pour le faire savoir

L'important dans la bataille
C'est l'histoire
C'est l'histoire
Qu'on découpe ou qu'on détaille
Selon l'auditoire

Combien de têtes victimes
D'un bon mot du procureur
Juste pour gagner l'estime
De ses supérieurs

À l'heure où l'on fait les comptes
Pour la gloire
Pour la gloire
Ça n'est pas c'qu'on fait qui compte
C'est notoire
Ça n'est pas c'qu'on fait qui compte
C'est l'histoire.

Tous les tableaux de mon enfance sont dans cette chanson. Un des gardiens du Parc d'aujourd'hui est un de mes copains de la communale d'alors. Qu'il garde bien mes souvenirs...

AU PARC MONCEAU

Au Parc Monceau
Entre les grilles et les arceaux
Les enfants sages ont des cerceaux
Au fil de l'eau
Dissimulés dans les roseaux
On entend piailler les oiseaux

Le Parc Monceau
Petit morceau de mon histoire
Le vieux monsieur des balançoires
Les cygnes noirs
La ville
Était à l'autre bout du monde
Entre le Lac et la Rotonde...

Au Parc Monceau
Entre les grilles et les arceaux
Les cours d'histoire avaient bon dos
Près du métro
Elle m'attendait sans dire un mot
J'ai pris sa main comme un cadeau

Le Parc Monceau
Premier baiser de mon histoire
Sur un des bancs d'une allée noire
Un peu d'espoir
La peur
La folle envie d'oublier l'heure
Ma main posée contre son cœur...

Au Parc Monceau
Entre les grilles et les arceaux
Le bonheur a fait son berceau
Pour nos seize ans
La pyramide et ses mille ans
Nous avait cachés des passants

Un parc en France
Petit morceau de mon enfance
Où j'ai trouvé l'adolescence
Un jour de chance
Un square
Bien à l'abri dans ma mémoire
Quand j'y retourne par hasard...

Au Parc Monceau
Entre les grilles et les arceaux
Entre les gardes et les landaus
Au Parc Monceau
Entre les fleurs et les moineaux
Les cours d'histoire avaient bon dos...

J'ai découvert avec Martine le bonheur du moment privilégié où l'on invente une histoire aux enfants avant qu'ils s'endorment...

LES FÉES

Tu ne pouvais jamais dormir
Sans que j'invente pour ton plaisir
Des histoires de magiciens
Qui font tout avec rien
Et j'inventais pour que tu dormes
Dans la chambre les soirs de pluie
Des crocodiles en haut-de-forme
Et des grenouilles en queue-de-pie
Et des fées à n'en plus finir
Et des fées à n'en plus finir

Il y avait la Fée aux yeux mauves
Que l'on regarde et qui se sauve
Et la Fée des vents de la nuit
Que l'on appelle mais qui s'enfuit
Et puis la Fée dans la lagune
Qui s'amuse à couper la Lune
En milliers de petits morceaux
Et qui les fait danser sur l'eau

Et quant à la Fée Carabosse
Elle t'emportait dans son carrosse
Et tu fouettais les cent chevaux
Jusqu'à la mer au grand galop
C'est alors que tu t'endormais
Moi doucement je m'en allais
Bercer mon cœur de ton sourire
Plein de rêves et de souvenirs
Et de fées à n'en plus finir
Et de fées à n'en plus finir

Puis un jour tu as dû grandir
Toutes les fées ont dû partir
Avec elles les magiciens
Qui font tout avec rien
Et depuis pour que je m'endorme
Dans la chambre les soirs de pluie
Quand les nuits sont trop monotones
Je repense à nos jours enfuis
Et les fées à n'en plus finir
Se rappellent à mon souvenir

Il y avait la Fée aux yeux mauves
Que l'on appelle et qui se sauve
Et la Fée des vents de la nuit
Que l'on appelle mais qui s'enfuit
Et puis la Fée dans la lagune
Qui s'amuse à couper la Lune
En milliers de petits morceaux
Et qui les fait danser sur l'eau

Et quant à la Fée Carabosse
Elle est partie dans son carrosse
Elle a fouetté ses cent chevaux
Jusqu'à la mer au grand galop
Les enfants c'est fait pour grandir
Pour s'en aller vers l'avenir
En laissant derrière eux des rires
Plein de rêves et de souvenirs

Et des fées à n'en plus finir
Et des fées à n'en plus finir.

Au moment où l'on me reprochait de n'évoquer que le bonheur dans mes chansons, j'ai fait ce texte, au second degré, pour pousser jusqu'à l'absurde l'image dans laquelle on voulait m'enfermer : naïf heureux et béat, épargné par la vie et désespérément optimiste.

LE BONHEUR INFERNAL

Écoutez mon récit pathétique et banal
L'histoire d'un bonheur infernal

Le destin me poursuit et s'attache à mes pas
Pour que tout me sourie malgré moi
J'ai beau faire tout va bien jusqu'au moindre détail
Ça n'a jamais de fin ni de faille
Le printemps m'éblouit et la vie m'émerveille
Une étoile me suit dans le ciel
Mais le soir c'est l'angoisse à nouveau qui m'assaille
Et jamais ne s'efface où que j'aille

En trouvant le bonheur j'ai perdu le sommeil
Car la nuit j'ai trop peur du réveil
Si jamais c'est un rêve il est trop tôt encore
Et j'ai peur qu'il s'achève à l'aurore
Moi qui dormais si bien sans penser que demain
Pouvait tout me reprendre au matin
En trouvant le bonheur j'ai perdu le sommeil
Le bonheur et l'enfer, c'est pareil

Mais personne à ce jour n'a percé mon secret
Je suis seul à savoir il est vrai
Toutes ces nuits sans dormir à compter les moutons
J'ai fini par écrire des chansons
Elles ont franchi les rues les montagnes et les ports
Les déserts et les glaces au Grand Nord
Mais le soir c'est l'angoisse à nouveau qui revient
Me chanter jusqu'au petit matin

En trouvant le bonheur j'ai perdu le sommeil
Car la nuit j'ai trop peur du réveil
Si jamais c'est un rêve il est trop tôt encore
Et j'ai peur qu'il s'achève à l'aurore
Vous qui dormez si bien, méditez ce refrain
Bénissez vos soucis vos chagrins
En trouvant le bonheur j'ai perdu le sommeil
Le bonheur et l'enfer, c'est pareil

À force de chanter pour sécher mes sanglots
J'ai fini par casser mon micro
Mes chansons un beau jour ont sombré dans l'oubli
Mon amour pour toujours est parti
J'ai perdu mon bonheur à force de gémir
On m'a mis en demeure de partir
À présent je suis triste et j'ai perdu l'espoir
Mais la nuit je m'endors comme un loir

À présent je suis triste et j'ai perdu l'espoir
Mais la nuit je m'endors comme un loir.

*Pour vieillir bien, peut-être faut-il
se regarder avec les yeux de l'âme ?...*

LE TEMPS S'ÉCRIT
SUR TON VISAGE

Le temps s'écrit sur ton visage
Mais ne sois pas triste pourtant
Toi qui voudrais m'offrir l'image
De tes vingt ans

Le temps s'écrit bien davantage
Sur les visages indifférents
Ton bonheur est mon paysage
À chaque instant

Moi j'ai le cœur dans les nuages
Le temps s'est pris dans mes cheveux
Quand on est deux pour le voyage
Vieillir un peu

C'est la rançon de la tendresse
Le prix des bonheurs disparus
Et qui parfois réapparaissent
Ainsi vêtus

Le temps qui guérit les blessures
S'est arrêté sur ton regard
Qui me caresse et me rassure
Quand je m'égare

C'est le temps qui fait ces miracles
Il nous en reste encore un peu
Celui qui passe est un spectacle
Merveilleux

Et s'il écrit sur ton visage
Ne sois pas triste pour autant
Toi qui voulais m'offrir l'image
De tes vingt ans

Elle est pareille à ton sourire
Elle est toujours dans ton regard
Elle est fidèle à ton désir
Et quand le soir

Le miroir nous renvoie l'image
De deux amants serrés très forts
J'écris le temps sur ton visage
Et sur ton corps

J'en oublie jusqu'au paysage
Et quand des mots me viennent alors
Le temps s'enfuit sur ton visage
Et tu t'endors

Le temps s'enfuit sur ton visage
Et tu t'endors.

Composé au fil de la plume, cette chanson m'emportait dans son voyage comme un tapis volant, et je me suis laissé conduire.

LE CHEMIN DU PAYS OÙ RIEN N'EST IMPOSSIBLE

C'est moi qui ai choisi ce chemin difficile
Aujourd'hui je m'arrête à deux pas du ravin
À regarder le vide avec un air tranquille
Et si je n'ai pas peur c'est de tenir ta main

Je n'ai plus qu'à marcher vers l'étape suivante
En mettant tout mon cœur à trouver le sentier
De plus en plus étroit de plus en plus en pente
Et qui déjà serpente au milieu de l'été

Tu m'as tenu la main jusqu'à ce coin tranquille
Où nous avons posé nos valises et nos cœurs
Il me faut repartir vers les rues de la ville
Et porter des nouvelles au miroir du bonheur

J'en ai rempli ma vie depuis que tu existes
Et j'ai tari mes larmes au creux de ton regard
J'ai découvert la peur de t'avoir rendue triste
Et l'infinie fierté de te rendre l'espoir

Me revoilà debout, je marche je décolle
Et je plane au-dessus des fenêtres allumées
Des cheminées qui fument et des préaus d'école
Et déjà ma raison s'endort à poings fermés

Un paysage entier couvert de feuilles mortes
Avec une barrière et dans une forêt
Quatre maisons de planches où s'ouvrent quatre portes
Au-dedans la pénombre a gardé son secret

Des voix qui se répondent, étouffées par l'automne
En un concert bizarre où les cris des oiseaux
Tous les secrets échos dont la forêt résonne
Ont mêlé leur silence au murmure de l'eau

Si je traverse encore les secrets de la Bible
Et l'écorce du Temps jusqu'au cœur de la vie
J'irai jusqu'au Pays Où Rien N'est Impossible
Et j'en rapporterai ce qui te manque ici

Et j'en rapporterai ce qui te manque ici.

La chanson des instants magiques et profonds, les couleurs du jardin secret.

LES CHOSES QU'ON NE DIT PAS

J'ai inventé des mots jaillis de nulle part
Et repoussé les murs de pierre de ma mémoire
Pour agrandir le monde et cacher mes trésors
Je chercherai peut-être bien longtemps encore
J'ai trouvé quelquefois le bonheur et la joie
Je me suis réveillé un jour auprès de toi

J'ai murmuré des nuits entières
Des mots d'amour et de lumière
Mais ce qui m'a rendu le plus heureux sur terre

Ce sont les choses qu'on ne dit pas
Les vrais secrets qu'on garde au fond de soi
Ce sont les choses qu'on ne dit pas
Parce que les mots, les mots n'existent pas

Et c'est souvent dans ceux qui restent à dire
Que sont cachés les plus beaux souvenirs
Ce sont les choses qu'on ne dit pas
Parce que les mots, les mots n'existent pas

J'ai fait le tour de ton amour au grand complet
Et j'ai fermé la porte à clé sur nos secrets
C'est un drôle de jardin rempli de tout ce qui
N'est rien pour les autres et qui pour nous est la vie
C'est le silence le plus intense que je connaisse
Où se referment les blessures de nos tendresses

Qui me rassure dans mon sommeil
Qui me sourit quand tu t'éveilles
Et qui réchauffe aussi mon cœur comme un soleil

Ce sont les choses qu'on ne dit pas
Les vrais secrets de mon amour pour toi
Ce sont les choses qu'on ne dit pas
Parce que les mots, les mots n'existent pas

Et c'est parfois dans un regard, dans un sourire
Que sont cachés les mots qu'on n'a jamais su dire
Toutes les choses qu'on ne dit pas
Et dont les mots, les mots n'existent pas

Toutes les choses qu'on ne dit pas
Mais que l'on garde pour toujours au fond de soi
Et qu'on emporte en l'au-delà
Là ou les mots, les mots n'existent pas.

Certains événements dépendent de nous, et d'autres non. J'ai appris à faire la part des choses...

LE FATALISTE

Je suis devenu fataliste
Le jour où je l'ai rencontrée
Elle avait le regard bien triste
Et plus rien ne l'intéressait
Qui des deux a consolé l'autre
Et lequel était le plus fou
Qui des deux était bon apôtre
Il s'en fallait pas de beaucoup

J'ai chanté quelques chansons tendres
Composées au temps du bonheur
Et ses larmes m'ont fait comprendre
Que j'touchais le fond de son cœur
J'aurais pu ne plaire à personne
Ou ne rien lui chanter du tout
Aujourd'hui serait monotone
Il s'en fallait pas de beaucoup

Je suis devenu fataliste
Le jour où je l'ai rencontrée
Elle avait le regard bien triste
Et plus rien ne m'intéressait
Qui des deux a consolé l'autre
Moi j'avoue que je n'en sais rien
Quelquefois le malheur des autres
Fait aussi le bonheur des uns

Et pardon si rien ne m'étonne
Chaque jour me rend amoureux
Les chagrins que la vie nous donne
Le bonheur les divise en deux
Quelquefois la vie n'est pas belle
L'avenir a l'air incertain
Le bonheur est une étincelle
Qui n'est belle que quand elle s'éteint

Je suis devenu fataliste
Le jour où je l'ai rencontrée
Elle avait le regard si triste
Et jamais je n'aurais pensé...
J'aurais pu prendre une autre route
Être ailleurs, passer mon chemin
Le bonheur s'en irait sans doute
Attiré vers d'autres destins

J'aurais pu prendre une autre route
Être ailleurs, passer mon chemin
Le plus drôle c'est sans aucun doute
Qu'aujourd'hui je n'en saurais rien.

À travers la disparition de Pierrot, mort d'un cancer des os, et qui s'est révélé exceptionnel de courage et de volonté, j'ai voulu rendre hommage à tous ceux qui m'entourent et que j'aime.

Et faire rejaillir ainsi la lumière des êtres dont la richesse est voilée par le quotidien.

LES GENS SANS IMPORTANCE

À Pierrot et à ceux qui l'ont perdu

Ce sont des gens sans importance
Avec des gestes quotidiens
Qui font renaître l'espérance
Et le bonheur entre leurs mains

Ce sont des gens sans artifices
Qui vous sourient quand ils sont bien
Et vont cacher leurs cicatrices
Parmi les fleurs de leurs jardins

Ils ont le cœur un peu fragile
Et la pudeur de leurs chagrins
Leur donne un doux regard tranquille
Un peu lointain

Ce sont des gens sans importance
Et qui parfois ne disent rien
Mais qui sont là par leur silence
Quand ils sont loin

Moi j'ai le cœur en plein décembre
L'ami Pierrot s'en est allé
En emportant mes chansons tendres
Et ton passé

Et tous les mots sans importance
Qui résonnaient dans la maison
Mais qui sont lourds de son absence
Dans ma chanson

C'est peut-être à ceux-là qu'on pense
Quand la mort vient rôder pas loin
En emportant notre insouciance
Un beau matin

À tous ces gens sans importance
Avec lesquels on est si bien
Qui font renaître l'espérance
Et sans lesquels on n'est plus rien.

*Le petit Patron, ce soir-là,
découvrait mes chansons au cours
d'un spectacle à la Mutualité, à
Paris. Je le connaissais encore peu,
mais ses encouragements m'ont laissé
pour toujours une empreinte indélébile
et l'envie de préserver ce bien précieux
qui lui avait paru essentiel :
l'enthousiasme.
Je m'y efforce, depuis, et lui
rends hommage.*

HOMMAGE AU PASSANT
D'UN SOIR

Quand je jouais de la guitare
Par plaisir ou par désespoir
Rue du Four et rue Vaugirard
J'arrêtais vers onze heures du soir
Je fouillais mes carnets d'adresses
Pour trouver deux sous de tendresse
Des amours que le petit jour emportait sans cesse

J'ignorais ce qu'était ma vie
J'ignorais mais j'avais envie
De chanter pour être moins triste et moins seul aussi
Puis un soir pour m'encourager
Un passant surgi du passé
M'avait dit des mots qui depuis ne m'ont plus quitté

Quand je jouais de la guitare
Avenue de l'Observatoire
J'ignorais que dans ton regard
Le bonheur était provisoire
J'écrivais des chansons d'amour
Et chacun s'asseyait autour
Les sourires étaient ma récompense et tu souris toujours

J'ignorais ce qu'était ta vie
J'ignorais mais j'avais envie
De chanter pour que tout soit bien quand le ciel est gris
Tout autour dans nos univers
Le printemps virait à l'hiver
Et les jours du calendrier passaient à l'envers

Puis j'ai joué de la guitare
Sur ton cœur et loin des regards
Tout le reste était dérisoire
Le présent perdait la mémoire
Je vivais mes chansons d'amour
J'avais peur de te perdre un jour
Et j'aimais les bruits de l'école en bas dans ta cour

J'ignorais si c'était ma vie
J'ignorais mais j'avais envie
De continuer mon chemin vers le paradis
Je respirais tout doucement
J'avais peur d'éveiller le temps
Qui dormait dans nos souvenirs et j'étais content

J'ignorais si c'était ta vie
J'ignorais mais j'avais envie
De continuer mon chemin vers le paradis
Je respirais tout doucement
J'avais peur d'oublier ce temps
Je rêvais de m'en souvenir depuis si longtemps

Quand je jouais de la guitare
Pour te plaire ou pour t'émouvoir
En hommage au passant d'un soir
J'écrivais pour l'amour de l'art
J'ignorais que c'était ma vie
J'ignorais mais j'avais envie
De chanter pour que tu sois fière de m'avoir choisi.

Comme je n'arrivais pas à écrire depuis plusieurs mois, pour tenter de conjurer cette fatalité, j'ai décidé d'écrire un texte sur le manque d'inspiration...

LES MUSES

Auprès d'un maigre feu, Pierrot le cœur tout gris
La plume entre les doigts semblait mourir d'ennui
Ronsard et du Bellay lui avaient fait faux bond,
Les muses avait quitté son cœur et sa maison

Quand il chantait l'amour pour de jolies princesses
Il franchissait parfois le seuil de la tendresse,
Et cherchait avec elles, caché dans les buissons
Les mots qui lui manquaient pour finir ses chansons

Mais son encre, à présent semblait moins sympathique,
Les muses avec le temps se montraient lunatiques
À tel point qu'un beau jour, le temps d'écrire un mot
La guitare avait pris racine au bord de l'eau

Et seul auprès du feu, Pierrot tout assombri
Pestait contre les dieux, jurait contre la vie,
Ronsard et du Bellay qui l'avaient laissé choir
Et les muses, endormies au fond d'un vieux tiroir

Quand il chantait l'amour de village en village,
Il voyageait plutôt dans les plis des corsages
Et cherchait un abri douillet pour le matin
Jusqu'à ce jour maudit où il n'en trouva point

Alors, il avait pris ses vers et ses refrains
S'en était fait du feu pour se chauffer les mains
Mais tout l'hiver passa sans qu'il écrive un mot
Au printemps sa guitare abritait des oiseaux

Et brusquement sa plume est devenue loquace
Elle jaillit de sa main pour écrire à sa place :
« Ronsard et du Bellay ont bien failli t'avoir
« Ils font le coup des muses à qui veut bien les croire

« Si tu dépérissais de semaine en semaine
« À ne chanter l'amour que pour tromper ta peine
« Laisse à présent les muses à leur sommeil tranquille
« Écrire avec ta vie te sera plus utile... »

Alors il a chanté pour l'amour de sa belle
Et n'a plus composé de chansons que pour elle
Il a fait de leurs vies les plus tendres moissons
Et lorsque sa guitare a refait des bourgeons
Il a cueilli ses fruits de saisons en saisons
Et plus jamais depuis n'a manqué de chansons.

Le rêve de tout auteur quand il prend la plume pour écrire. J'ai eu la chance de le voir se réaliser : le portrait que dessine cette chanson, c'est celui de "Prendre un enfant".

JE VOUDRAIS FAIRE
CETTE CHANSON

Je voudrais faire cette chanson
Pour faire chanter notre maison
Pour faire chanter tout l'Univers à ma façon
Avec l'amour pour diapason
Pour faire chanter tout l'Univers à l'unisson
Je voudrais faire cette chanson

Avec mon cœur et mes frissons
Les plus beaux jours de nos moissons
Les mots qu'on dit mais qui se perdent à l'horizon
Vers ceux qu'on aime et qui s'en vont
Pour ceux que j'aime et qui peut-être se perdront
Je voudrais faire cette chanson

Avec nos cœurs et le meilleur de notre histoire
Le bonheur et le désespoir
Avec ton corps et la douceur de ton regard
Dans les accords de ma guitare

Je voudrais faire cette chanson
Pour faire pleurer notre maison
De ces instants parfois trop lourds et bien trop longs
Où le bonheur est en prison
Pour que jamais l'amour ne perde la raison
Je voudrais faire cette chanson

Et jusqu'au jour de nos moissons
Je voudrais de mille façons
Te dire je t'aime et de nos cœurs à l'unisson
Dans un élan dans un frisson
Offrir au monde un jour ma plus jolie chanson
Aux yeux verts et aux cheveux blonds

Pour faire chanter tout l'Univers à ma façon
Avec l'amour pour diapason
Pour faire chanter tout l'Univers à l'unisson
Je voulais faire cette chanson.

Une petite statuette chinoise, qui représentait un couple amoureusement mêlé et que j'avais offerte à Noëlle fut à l'origine de cette réflexion sur la charge d'amour des objets qui nous entourent.

LA STATUE D'IVOIRE

Il me plaît de penser
Que la statue d'ivoire
Des amants enlacés
Nous fait l'amour ce soir

Ce tout petit cadeau
Pour commencer l'année
Leur sourire était beau
Comme un matin d'été

Nos objets nous regardent
Avec leurs souvenirs
Et pour peu qu'on s'attarde
À leur appartenir

Tous ceux qu'on a aimés
Reviennent autour de nous
On a le cœur serré
La gorge qui se noue

L'amour c'est quand le temps
Se transforme en mémoire
Et nous fait le présent
D'un passé plein d'espoir

Si tout ce que la vie
Nous offre ou nous prépare
Se noie dans un oubli
Précoce et dérisoire

Il me plaît de penser
Que sans nous le hasard
N'aurait pu composer
Un monde aussi bizarre

Et que sans nos amours
Le temps serait mortel
Comme est le fil des jours
Quand la mort nous appelle

Si tout ce que la vie
Nous offre ou nous prépare
Devait venir ainsi
Se graver quelque part

Ces amants enlacés
Dans leur amour d'ivoire
Qui nous ressemblent assez
Pour nous cacher notre histoire

Il me plaît de penser
Que c'était nous ce soir.

Chanson - clin d'œil, pour la scène, mais qui ne marche qu'une fois !...

DANS LE LIT

Dans le lit y'a une chose
Sur laquelle ma main se pose
Qui frémit lorsque j'y touche
Et lorsque j'y pose ma bouche

Dans le lit je me concentre,
Je la pose sur mon ventre
C'est si doux que ça me brûle
Tout le corps, chaque cellule

Dans le lit je me sens vivre,
Doucement je me sens ivre
Je m'endors et puis je flotte
En serrant, fort, la bouillotte...

... Pour oublier que j'avais du chagrin.

LE CŒUR GRIS, LE CŒUR GROS

Je rendais visite à des amis cousins
Qui venaient de perdre leur mère
Que j'avais aimée mais d'un amour lointain
Comme on fait souvent sur la Terre

Je rendais visite à ces amis cousins
Qui venaient de perdre leur mère
Et pour oublier que j'avais du chagrin
Je chantais le long de mon chemin

Le cœur gris, le cœur gros
Comme la musique était légère
Le cœur gris, le cœur gros
J'oubliais ma peine et ma misère

Le cœur gris, le cœur gros
Comme la musique était légère
Le cœur gris, le cœur gros
J'oubliais ma peine et mes sanglots

Si ma pauvre mère
M'écoutait là-haut
Je suis sûr qu'elle chantait en écho
Le cœur gris, le cœur gros

Depuis quand je pense à mes amis là-haut
Et que je retourne en arrière
Je revois le jour où sont venus ces mots
Sur le chemin du cimetière

Je me dis surtout qu'il faut s'aimer avant
Quand on est vivants sur la Terre
Et trouver les mots qu'on voudrait dire souvent
À ceux qu'on aimait quand il est temps

Le cœur gris, le cœur gros
Comme leur musique était légère
Le cœur gris, le cœur gros
J'oubliais ma peine et ma misère

Le cœur gris, le cœur gros
Comme leur musique était légère
Le cœur gris, le cœur gros
J'oubliais ma peine et mes sanglots

Et si tous ceux-là
M'entendaient là-haut
Je suis sûr qu'ils auraient en écho
Le cœur gris, le cœur gros.

Le temps a dans mes chansons une place privilégiée. Pourtant, je vis toujours en dehors de lui : ne me demandez ni le jour, ni l'heure, c'est une notion qui m'échappe...

Étrange, pour un fils d'horloger...

LE COURS DU TEMPS

Oh que j'aimerais sans cesse
Arrêter le cours du temps
Dans le lit de la tendresse
Sur les rives du printemps

Comme un fleuve intarissable
Pris au piège d'un étang
Comme un souffle insaisissable
Dans les fils d'un cerf-volant

Écouter dans le silence
Le murmure assourdissant
De la voix de notre enfance
Que plus jamais nul n'entend

Mais qui parle avec sagesse
Des espoirs de nos quinze ans
Et qui sait d'autres richesses
Oubliées depuis longtemps

Hors du cours de nos planètes
Où le temps s'est naufragé
Il existe dans nos têtes
Tout un monde à inventer

Que chacun s'y reconnaisse
Et lui laisse un peu d'amour
De bonheur et de tendresse
Et la vie suivra son cours

Oh que j'aimerais Princesse
Arrêter tous ces instants
Dans le lit de ta tendresse
Tant qu'il en est encore temps

Te garder de la tristesse
Épargnée par les tourments
Et pouvoir te dire sans cesse
Que je t'aime éperdument

Comme un fleuve intarissable
Aussi calme que l'étang
Comme un souffle insaisissable
Sur le fil du cerf-volant.

*Un texte écrit au retour de
Vialas, dans la voiture, pour prolonger
la magie d'une semaine d'amitié
chez Patrick Pagès.*

MON AMI CÉVENOL

À Patrick Pagès

Il existe une auberge à deux pas d'une école
Quelque part en pays cévenol
Comme un vieux cœur de pierre sur le flanc d'un rocher
Au milieu d'un village oublié

On y fait des festins mais celui qui les sert
Vous en parle si bien qu'au dessert
Il reste au fond du cœur un parfum d'amitié
Qui ressemble à la félicité

Il vous ouvre sa vie, sa cave et son savoir
Et sa table est un livre d'histoire
La saveur de son vin, pareille à son regard
Laisse autant de tendresse et d'espoir

Il nous a raconté les mines abandonnées
Les maisons des vallées désertées
Les villages où les arbres et les lianes ont poussé
Sur les murs et les toits effondrés

Dans ce curieux décor de forêts pétrifiées
Où le temps semblait s'être arrêté
Il restait par endroits des lambeaux du passé
Que les vents n'avaient pas dispersés

De longues promenades en secrets échangés
On était un peu moins étrangers
De ces jours de magie, de bonheurs partagés
Il nous reste un grand vide à combler

Mon ami cévenol, tu m'as fait bien plaisir
Je n'ai que ma musique à t'offrir
Je t'écris ces couplets dans ma tête en secret
En hommage à ton talent discret

N'aie pas peur de vieillir, ton bonheur est ici
Dans ces pierres où ton père a grandi
Tu l'auras ton étoile un beau jour c'est certain
Mais le ciel tout entier t'appartient.

Pour faire la chanson de ce film, il fallait, sans vraiment raconter l'histoire, en retrouver le propos, et concentrer en trois minutes ce que le film disait en une heure et demie...

Mais grâce à la beauté et à la qualité du dessin animé de Don Bluth, ce fut un travail extrêmement attachant et agréable.

POUR L'AMOUR D'UN ENFANT

Pour l'amour d'un enfant
Arrêter le temps
Pour seule arme
Une larme
Et pourtant
Les chagrins de la nuit
Se sont évanouis
Le bonheur
Au fond des cœurs
A fleuri

L'aventure
Laisse aux blessures
Un goût de miel
Quand l'amour
Au point du jour
A dans ses ailes
Un morceau du ciel

Les amis sont partis
Vivre au paradis
Leur silence
Est aussi dense
Que la nuit
Où leur histoire
Dans nos mémoires
Est venue faire son nid

L'aventure
Laisse aux blessures
Un goût de miel
Quand l'amour
Au point du jour
A dans ses ailes
Un morceau du ciel

Les amis sont partis
Vers une autre vie
Leur bonheur
Était ailleurs
Aujourd'hui

Mais quelque part
Dans nos espoirs
Ils sont encore ici

Où leur histoire
Dans nos mémoires
Est venue faire son nid

Quelque part
Dans nos mémoires
Et dans nos rêves aussi...

*Court-métrage couleur sépia
de l'histoire de ma famille...*

CLÉMENTINE ET LÉON

« Au Carillon d'Or »

Clémentine et Léon Barentin
Qui vendaient des pendules à Pantin
Se sont connus un jour en prenant leur journal
À côté du café du Canal

Et le jour de la Saint-Valentin
Ils se sont mariés sans parents ni parrains
La fanfare avait joué des musiques de Chopin,
Clémentine et Léon étaient bien.

Pendant qu'elle attendait les clients,
Clémentine astiquait les cadrans
Et Léon tout au fond dans son beau tablier
Réparait les horloges du quartier

À côté du cahier, des tampons,
Il y avait sur la caisse une corbeille de bonbons
Les coucous qui sonnaient du matin jusqu'au soir
Donnaient l'heure, la demie et le quart.

Clémentine eut deux fils de Léon,
Il fallut agrandir la maison,
On reprit pour pas cher sa boutique au voisin
Jusque-là les affaires marchaient bien

Mais la guerre est venue tout défaire,
Clémentine a pleuré pour ses fils et leur père
Les pendules ont cessé d'égayer la maison
Quand Léon s'en alla pour le front.

Clémentine a vendu ses bijoux,
Accroché son alliance à son cou
Les enfants qui donnaient du travail à foison
Lui faisaient oublier les saisons

Les horloges arrêtées sur une heure
Attendaient le retour du soldat de son cœur,
Quand Léon apparut dans la porte un beau soir,
Elle a dû se pincer pour y croire.

Clémentine et Léon Barentin,
Pour le jour de la Saint-Valentin
Ont rouvert la boutique et l'ont rebaptisée,
On entendit les bruits des baisers

Il avait fabriqué de ses mains
Un carillon qui jouait sur un air de Chopin,
Ils avaient invité pour l'inauguration
Les amis, les voisins,
Les enfants, les cousins,
La fanfare, et même tout l'orphéon,
Clémentine et Léon.

DANS LE CŒUR DE LÉONORE

Dans le cœur de Léonore
Il y a deux amants
Un qui chante et un qui dort
Depuis bien longtemps

Le premier s'est endormi
Pour l'éternité
L'autre a chanté sans répit
Pour la consoler

La musique au long des jours
N'a pas remplacé
La douceur de son amour
Ni le temps passé

Mais les mots qui par hasard
Lui chantaient sa vie
Déposaient dans son regard
Un instant d'oubli.

Au jardin de Léonore
Tous les arbres en deuil
Tandis qu'elle pleurait encore
Préparaient leurs feuilles

Pour abriter les amours
Des oiseaux fidèles
Qui venaient depuis toujours
Y chanter pour elle

Les saisons sur le jardin
N'ont pas effacé
Les couleurs ni les parfums
Des bonheurs passés

Mais les fleurs qu'elle y cueillait
Quelque temps plus tard
Ont bercé dans ses regrets
Un instant d'espoir.

Les saisons sur le jardin
N'ont rien effacé,
Ni les joies ni les chagrins
Mais pour y penser

Dans le cœur de Léonore
Il y a deux amants
Un qui chante et un qui dort
Depuis bien longtemps.

Pour le plaisir de tourner autour de la musique avec les mots, j'ai laissé libre cours à mon incorrigible penchant pour le calembour...

LA MUSIQUE ET MA VIE

J'ai toujours aimé l'harmonie
J'ai toujours mêlé la musique à ma vie
J'ai toujours aimé l'harmonie
Pourtant quelquefois je m'interroge aussi
Depuis que j'apprends la guitare
J'ai des amours un peu bizarres
Et tout se mélange en un seul univers
J'avoue que parfois je m'y perds

En faisant la cour à Nicole
J'ai redécouvert la guitare espagnole
J'apprenais les Jeux interdits
Le dos sur le sol elle en savait aussi
Mais loin d'un accord de mariage
Ce fut un accord de passage
Avec des soupirs et quand même un bémol :
On était encore à l'école...

Grâce à la musique je suis
Rebelle au cafard à la mélancolie
Ma vie se déroule en majeur
Au rythme des jours au tempo de mon cœur
Depuis que je joue les cigales
J'ai l'amour un peu musical
Et j'aurai peut-être pour progéniture
Une portée de douze mesures

Moi tous mes enfants sont partis
Ils s'appellent Octave Anatole ou Rémi
Ils s'en vont chanter la nature
Dans les vieux théâtres et les salons obscurs
Mais tous ces enfants voyageurs
Ils sont toujours là dans mon cœur
Il me reste assez de bonheur et d'espoir
Pour en faire encore des milliards

Et si j'ai parfois des chagrins
Si dans mes chansons j'ai de tristes refrains
La musique adoucit mon cœur
Elle guérit mes peines et fait sécher mes pleurs
Depuis que j'apprends la guitare
J'en ai rempli tous nos tiroirs
Pour vivre avec toi jusqu'à la fin des jours
D'autant de musique et d'amour

Pour vivre avec toi jusqu'à la fin des jours
D'autant de musique et d'amour.

On me reprochait de ne jamais évoquer les conflits du monde dans mes chansons. J'ai donc fait cette chanson sur la guerre.
— Pour avoir la paix...

SUR UNE MAPPEMONDE

Sur une mappemonde
On voit les mers en bleu
Que la Terre est bien ronde
Que tout va pour le mieux

Mais au niveau du sol
Il y a des habitants
Et la cour de l'école
Et tous les adjudants

Des océans qui grondent
Des montagnes en feu
Des immeubles qui tombent
Et des gens malheureux

C'est pour çà qu'il vaut mieux
Quand on a des ennuis
Regarder vers le haut
Mais quand le ciel est gris

Se dire que la Terre
A des problèmes aussi
Sur une mappemonde
On les voit tout petits

Je voudrais voir le Monde
Ainsi qu'on l'a décrit
Sur une mappemonde
Avec tous ses pays

Mais au niveau du sol
Il y a toujours des gens
Qui perdent la boussole
En gagnant plein d'argent

Et les armées qui marchent
Se déchirent ou se noient
Sous des canons qui crachent
Qui détruisent et qui broient

C'est pour ça qu'il vaut mieux
Tant qu'on en a envie
Se trouver bienheureux
D'être toujours en vie

À faire le tour du monde
En rêvant dans son lit
Sur une mappemonde
Où tout est si joli

Où la Terre est bien ronde
Où la mer est bien bleue
Où pour quelques secondes
Tout irait pour le mieux

Où la Terre est bien ronde
Où la mer est bien bleue
Où pour quelques secondes
Tout irait pour le mieux.

*Pied de nez aux pisse-copie de
toutes plumes qui ne font rien de
leurs dix voix, mais qui trouvent
toujours que les autres n'en font pas
assez...*

NI MESSIE NI MESSAGE

Il n'y a dans mes chansons
Ni messie ni message
Certains esprits grognons
Trouvent que c'est dommage

Et que mes quelques vers
Vaudraient bien davantage
À être aussi pervers
Que tous leurs bavardages

Combattre la bêtise
Est un glorieux destin
Qui vaut que j'improvise
Un tout petit refrain :

Si j'étais un oiseau
Parfois je serais triste
À l'idée que mes plumes
Un jour vous permettront
D'écrire pour des canards
Que mon chant n'est pas beau
Elles qui m'ont fait voler si haut

Mais je serais content
Là-haut dans mes nuages
En survolant parfois
Les plus beaux paysages
De lancer ma chanson
Sur un rayon de lune
Loin des rancœurs et des rancunes...

Il n'y a dans mes couplets
Ni profit ni prophète
Certains esprits simplets
Trouvent que c'est trop bête

Qu'en montrant l'univers
Au bout de leur lorgnette
Je pourrais faire changer
Le cours de la planète

Combattre la bêtise
Est un glorieux destin
Qui vaut que je redise
Mon tout petit refrain :

Si j'étais un oiseau
Parfois je serais triste
À l'idée que mes plumes
Un jour vous permettront
D'écrire dans les mémoires
Que mon chant sonnait faux
Elles qui m'ont fait voler si haut

Mais je serais heureux
Là-haut dans mes nuages
En survolant des cieux
Les brumes et les orages
De lancer ma chanson
Sur un rayon de lune
Loin des rancœurs et des rancunes

De lancer ma chanson
Sur un rayon de lune
Loin des rancœurs et des rancunes.

J'ai toujours aimé les thèmes folkloriques français, qui ont pour moi un charme irremplaçable, et j'avais envie de ce tourbillon de mots, de joie et de gaité pour faire rebondir le spectacle, et trancher avec les autres chansons, plus graves ou plus tendres.

LA FARANDOLE

Je me souviens de ces farandoles
Que l'on faisait quand j'étais enfant
L'une d'entre elles avait des paroles
La farandole du cerf-volant

Comme, comme, comme le vent
Elle entraînait dans sa course folle
Comme, comme, comme le vent
Nos voix, nos rires et nos cœurs d'enfants

Demander la main d'une fille aux parents
C'est pas si facile et pourtant
Dans la farandole avec un peu d'ardeur
Elle est prête à nous donner son cœur

Pour peu que la vie au hasard du chemin
La prenne à nouveau par la main
Dans la farandole au détour de la rue
La belle aura déjà disparu

Comme, comme, comme le vent
Elle emporte tout dans sa fuite en avant
Si l'on n'y prend garde à la course au bonheur
On pourrait même y laisser son cœur

La fête au village avait battu son plein
Et l'on entendait au matin
Cette farandole qui dansait toujours
Au son des fifres et des tambours

Et Dieu sait alors où tout ça peut finir
Au milieu des cris et des rires
Une farandole qui part en folie
Jamais plus ne vous laisse en répit

Comme, comme, comme le vent
Elle prend son envol et s'enfuit dans les champs
Si l'on n'y prend garde à la tombée du jour
On pourrait même y trouver l'amour

Quand je rencontre une farandole
Comme on faisait quand j'étais enfant
J'ai le sourire et mon cœur s'envole
Je pense à celle du cerf-volant

Comme, comme, comme le vent
Elle m'entraîne dans sa course folle
Comme, comme tout comme avant
Nos voix, nos rires et nos cœurs d'enfants

Comme, comme, comme le vent
Elle emporte tout dans sa fuite en avant
Si l'on n'y prend garde à la course au bonheur
On pourrait même y laisser son cœur

Comme, comme, comme le vent
Elle prend son envol et s'enfuit dans les champs
Si l'on n'y prend garde à la tombée du jour
On pourrait même y trouver l'amour

Comme, comme, comme le vent
Elle va comme elle veut vers le soleil levant
Si l'on n'y prend garde en volant dans les airs
On pourrait faire le tour de la Terre.

*Directement inspiré du livre
extraordinaire de Richard Bach
"Jonathan Livingston le goéland",
dans lequel j'ai retrouvé l'envie
d'aller toujours plus loin, toujours
plus haut...*

JONATHAN

Va-t'en dire au vent qui t'amène
Que le monde n'est rien sans toi
Il n'y a que l'amour qui t'entraîne
À monter plus haut chaque fois

Et caché derrière ton épaule
Il y a le regard si doux
D'une femme qui sait ton rôle
Et qui t'aide à tenir debout

C'est le vent qui sonne à ta porte
Mais le destin n'existe pas
Il sera ce que tu apportes
Tout ce que tu aimes est en toi

Tu fabriques une route neuve
Que bien d'autres suivront un jour
C'est pour mieux te mettre à l'épreuve
Qu'une étoile te suit toujours

Un bonheur quand il te traverse
N'est déjà plus qu'un souvenir
Il faut du courage à l'inverse
Pour ne pas trop le retenir

L'horizon s'éloigne à mesure
Qu'on avance pour le toucher
Il nous montre une vie plus dure
Moins facile à apprivoiser

Jonathan ouvre-moi les ailes
Le vent souffle vers l'avenir
Et le temps m'emporte vers celle
Qui m'apprend à m'appartenir

Va-t'en dire au vent qui m'appelle
Que j'irai jusqu'au bout du temps
Pour revivre une vie près d'elle
Entourés de tous nos enfants

Va-t'en dire au vent qui t'amène
Que le monde n'est rien sans toi
Qu'il n'y a que l'amour qui t'entraîne
À voler plus haut chaque fois

Et caché derrière mon épaule
Il y a le regard si doux
De la femme qui sait mon rôle
Et que j'aime au-delà de tout

Jonathan ouvre-moi les ailes
L'Univers n'est pas assez grand
Et les mots seraient infidèles
À décrire ce qui nous attend

La beauté des mondes invisibles
Qu'on découvre en fermant les yeux
Et l'amour des choses impossibles
Qui sont vraies quand on est heureux...

Va-t'en dire au vent qui t'amène
Que le monde n'est rien sans toi
Il n'y a que l'amour qui t'entraîne
À monter plus haut chaque fois

Et caché derrière mon épaule
Il y a le regard si doux
De la femme qui sait mon rôle
Et qui m'aide à tenir debout...

D'après une histoire vécue,
entendue à la radio : une jeune
femme tombe amoureuse d'un homme,
ils vivent tous les deux une passion
exceptionnelle, jusqu'au départ du
monsieur pour un pays lointain.
　　Il promet d'écrire dès qu'il sera
installé pour qu'elle le rejoigne. Elle
attend cette lettre chaque jour.
　　... Elle l'attendra pendant quarante ans.
Un jour, elle refait son appartement,
et sous le linoléum de l'entrée, elle
trouve la lettre tant espérée, jaunie,
que le facteur avait glissée sous la
porte, quarante ans auparavant...

LES MOTS QU'ON N'A PAS DITS

Dans le fond des tiroirs y'a des chansons qui dorment
Et des mots que jamais on n'a dits à personne
Qui auraient pu changer le cours d'une existence
Mais qui ont préféré rester dans le silence

Des phrases emprisonnées dans des yeux qui s'appellent
Et que pas un baiser ne referme ou ne scelle
Jamais tous ces mots-là ne sombrent dans l'oubli
Ils se changent en regrets, en souvenirs transis

Mais les cendres du feu des mots qu'on n'a pas dits
Jamais ne sont vraiment éteintes ou refroidies
Elles se consument encore au cœur de nos mémoires
En réchauffant nos nuits d'une lueur d'espoir

Comme du temps qui dort
Au fond du sablier
Mais que l'on garde encore
Pour ne pas l'oublier

La nuit dans les miroirs y'a des mots qui s'allument
Et qui refont parfois la gloire ou la fortune
Avec tous les regards qu'on n'a pas su saisir
Et les amours fanées qui semblent refleurir

Alors dans les miroirs y'a des mots qui résonnent
Comme un destin tout neuf qui ne sert à personne
Et l'on caresse encore les espoirs de bonheurs
Qui ressemblent aux prénoms que l'on connaît par cœur

Aux lettres enrubannées que l'on n'a pas reçues
Mais qu'on relit cent fois pourtant la nuit venue
À tous ces mots d'amour restés dans l'encrier
Mais qu'on n'a plus personne à qui pouvoir crier

Dans le fond des tiroirs y'a des larmes qui sèchent
Un portrait du passé qui s'écorne ou s'ébrèche
Et la vie doucement referme de ses plis
Ces chemins qui s'ouvraient mais qu'on n'a pas suivis.

LA LIGNE DE VIE

Dix ans de poèmes en batailles
Que nous étrennons notre amour
Perpétuelles fiançailles
Qui m'étonnent encore chaque jour

À force de lire au passage
La ligne de vie dans ta main
J'ai la même sur mon visage
Qui creuse elle aussi son chemin

Tour à tour inquiètes et sereines
Les années s'écoulent sans bruit
Laissant comme un manteau de laine
Sur tous les hivers de nos vies

Le cœur endurci d'une écorce
Pour rester plus tendre au-dedans
Mon âme a puisé dans ta force
Un souffle à l'épreuve du temps

À force d'aimer davantage
L'amour s'est écrit dans tes yeux
Vieillir est le plus beau voyage
Qui nous reste à faire tous les deux

Et plus notre temps s'amenuise
Et plus notre ciel s'agrandit
Souvent d'un chagrin qui nous brise
Renaît un oiseau qui nous suit

Le jour où j'ai vu ton sourire
J'ai su que le monde était beau
J'ai cherché les mots pour le dire
Mon cœur a jailli du piano...

Et si les saisons nous protègent
Depuis que tu dors dans mes bras
Je sais de plus grands privilèges
Que ceux des Seigneurs et des Rois

Dix ans de poèmes en batailles
Que nous étrennons notre amour
Perpétuelles fiançailles
Qui m'étonnent encore chaque jour

À force de lire au passage
La ligne de vie dans ta main
J'ai la même sur mon visage
Qui creuse elle aussi son chemin.

*pour conserver l'intensité d'un
moment privilégié d'intimité, de
sensualité et de paix.*

INSTANTS DE TRÈVE

Ton univers se penche au bord de ma misère
Et ton regard s'éclaire en rencontrant le mien
Je voudrais que ça dure encore un millénaire
C'est comme une oasis au milieu du chagrin

Je voudrais boire encore à cette source fraîche
Sentir couler ta voix dans le creux de mon cœur
Éprouver du bonheur, avoir la gorge sèche
En caressant tes seins comme on touche une fleur

Poser sur tes cheveux des paillettes de lune
Et diriger mes doigts par des chemins cachés
Qui s'effacent en s'ouvrant comme sable de dunes
Vers une plage offerte en perles de rosée

Croquer de ton jardin tous les fruits de tendresse
Sur ta peau qui frissonne au fil de mes baisers
Y goûter la folie qui mène à la sagesse
Et cueillir un soleil qui passe à ma portée

Je voudrais croire encore à ces instants de trève
Où plus rien du dehors ne peut nous arriver
Quand nos regards se perdent au plus profond du rêve
Que nos heures se confondent avec l'éternité

Oublier quelque temps l'ombre de la tristesse
Pendant que le bonheur s'endort à nos côtés
Bercés par la douceur du vent qui nous caresse
Perdus dans la langueur d'un infini baiser

Bercés par la douceur du vent qui nous caresse
Perdus dans la langueur d'un infini baiser.

Une demi-heure de marche dans le maquis corse, puis des enclos de pierres sèches, des sentiers, et soudain ce village abandonné, où le temps s'est arrêté...

LE VILLAGE ENDORMI

Loin, sous la mer des nuages
Est un village endormi
Où sont les gens ?
Où sont les gens ?
Ils sont partis depuis longtemps
Ici plus rien ne les attend

Dans les maisons, chaque pierre
Porte un visage, un prénom
Des pas gravés,
Sur les pavés
Le lourd fardeau du temps posé
Par des fantômes oubliés

Tous les secrets du village
Restent enfermés dans les cœurs
Pourtant ce soir
Sans rien savoir
Je sens revivre autour de moi
Comme une empreinte d'autrefois

Quand la lumière du silence
Prend les couleurs du couchant
Le seul trésor
Qu'on trouve encore
N'est pas toujours celui qu'on croit
Mais l'on est riche au fond de soi

Loin, sous la mer des nuages
Est un village endormi
Où sont les gens ?
Où sont les gens ?
Ils sont partis depuis longtemps
Ici plus rien ne nous attend...

J'ai voulu offrir une chanson d'amour à la langue française, ma langue maternelle, pour dire sa beauté et sa richesse, et la fierté qu'elle m'inspire. Je l'ai dédié à Félix Leclerc qui s'est battu pour la défendre au Québec.

LA LANGUE DE CHEZ NOUS

À Félix

C'est une langue belle avec des mots superbes
Qui porte son histoire à travers ses accents
Où l'on sent la musique et le parfum des herbes
Le fromage de chèvre et le pain de froment

Et du Mont Saint-Michel jusqu'à la Contrescarpe
En écoutant parler les gens de ce pays
On dirait que le vent s'est pris dans une harpe
Et qu'il a en gardé toutes les harmonies

Dans cette langue belle aux couleurs de Provence
Où la saveur des choses est déjà dans les mots
C'est d'abord en parlant que la fête commence
Et l'on boit des paroles aussi bien que de l'eau

Les voix ressemblent aux cours des fleuves et des rivières
Elles répondent aux méandres, au vent dans les roseaux
Parfois même aux torrents qui charrient du tonnerre
En polissant les pierres sur le bord des ruisseaux

C'est une langue belle à l'autre bout du monde
Une bulle de France au nord d'un continent
Sertie dans un étau mais pourtant si féconde
Enfermée dans les glaces au sommet d'un volcan

Elle a jeté des ponts par-dessus l'Atlantique
Elle a quitté son nid pour un autre terroir
Et comme une hirondelle au printemps des musiques
Elle revient nous chanter ses peines et ses espoirs

Nous dire que là-bas dans ce pays de neige
Elle a fait face aux vents qui soufflent de partout
Pour imposer ses mots jusque dans les collèges
Et qu'on y parle encore la langue de chez nous

C'est une langue belle à qui sait la défendre
Elle offre les trésors de richesses infinies
Les mots qui nous manquaient pour pouvoir nous comprendre
Et la force qu'il faut pour vivre en harmonie

Et de l'Île d'Orléans jusqu'à la Contrescarpe
En écoutant chanter les gens de ce pays
On dirait que le vent s'est pris dans une harpe
Et qu'il a composé toute une symphonie

Et de l'Île d'Orléans jusqu'à la Contrescarpe
En écoutant chanter les gens de ce pays
On dirait que le vent s'est pris dans une harpe
Et qu'il a composé toute une symphonie.

Commencée et finie à cinq ans d'intervalle, une chanson folle, invitation au rêve, à la magie, à la démesure du cirque.

LE CIRQUE

Un petit cirque a installé sa toile
Au cœur de la cité
Le magicien comme un maître de bal
Commence à répéter

Lance la Terre au milieu des étoiles
Dresse le chapiteau
Trouve un soleil en fouillant dans ses malles
Ajuste son chapeau...

J'ai l'honneur, l'avantage
De vous présenter
Quelques scènes à peine imaginées
Les décors, les costumes
Sont un peu passés
Mais ça pourrait bien vous arriver

Des bateaux venus de Chine
Nous ont apporté
Quelques tonneaux d'encre et du papier
Les Pierrots les Colombines
Et même un Arlequin
Sont venus d'eux-mêmes et jouent pour rien

Un orage a prêté ses plus beaux éclairs
Pour illuminer la ville entière
Pour un bal sans égal
Dans la nuit des temps
Où sont invités les habitants

Si le temps nous accompagne
Comme il l'a promis
Nous verrons les clés du Paradis
Rapportées en taxi
De la Galaxie
À mille années-lumière d'ici...

Une aurore boréale, décor idéal
Pour une aquarelle originale
Jaillira du chapeau de Monsieur Loyal
Au moment le plus sentimental

Tous les anges et Lucifer,
Prévus au dessert
Apportent un gâteau d'anniversaire
Qu'on verra de la Terre
Comme une étincelle
Arriver de l'autre bout du ciel

Carnaval sans rival,
La réalité
Le hasard et la fatalité
Nous préparent dans le noir
Une éternité
Qu'il vaut mieux ne pas imaginer

J'ai l'honneur, l'avantage
De vous inviter
Dans un univers à mon idée
Rien n'est vrai rien n'est faux,
Tout est inventé
Si vous voulez bien m'accompagner...

... Le petit cirque a fermé ses lumières
Plié son chapiteau
Il a laissé ses images en arrière
Dans nos cœurs bien au chaud

La caravane a repris le chemin
Des rêves et des chagrins
Tout est rangé dans les malles en rotin
Du petit magicien.

Fany rêve comme on respire, elle est une source et fait de la lumière dans notre vie. Il existe entre elle et nous un amour hors du temps, elle méritait que je prenne celui de lui faire sa chanson, pour la chanter longtemps...

FANY

Fany quand elle rêve
C'est que la nuit s'achève
Elle voit le monde à son réveil
Avec les yeux de son sommeil

À l'aube elle se lève
Un chevalier l'enlève
Pour l'emporter dans son château
Perché au sommet du hameau

Fany dans son île
Voudrait bien voir la ville
De l'autre côté des montagnes
Elle a quelqu'un qui l'accompagne

Elle part pour l'école
Et sa fusée décolle
Elle jette au passage un coup d'œil
Sur ses deux petits écureuils

Parfois quand elle berce
Sa petite princesse
Elle a les yeux d'une maman
Sur son visage de sept ans

Fany quand elle aime
C'est comme un long poème
Elle dit des mots qui n'ont plus cours
Que dans les vieux livres d'amour

Elle vit dans un songe
Le reste est un mensonge
Son cœur est clair comme un ruisseau
Mais la vie trouble un peu son eau

Alors elle résiste
Le soir quand elle est triste
Elle prie jusqu'à la nuit venue
Pour que son rêve continue

Et si par surprise
Ses vœux se réalisent
Elle dit « Je n'en crois pas mes yeux
Je dois rêver mais c'est tant mieux »...

Que rien ne l'arrète
Ni chagrin ni défaite
Elle fait le monde à sa façon
Elle sait déjà qu'elle a raison

Fany, quand elle rêve
C'est un jour qui se lève...

La mort, à travers le miroir
de l'amour...

QU'Y A-T-IL APRÈS ?...

Qu'y a-t-il après
Quand nos âmes ont disparu
Quand nos cœurs ne battent plus
Près de ceux qu'on aime ?

Si nos souvenirs se diluent dans l'infini
Qu'en est-il de nos amours et nos amis ?

Quand je m'en irai
Pour ailleurs ou pour après
J'aurai si peur de n'y trouver que des regrets

Je cherche déjà les chemins d'éternité
Qui pourront guider mes pas pour te trouver...

Qu'advient-il de nous
Quand nos yeux se sont fermés
Sur tous ceux qu'on va laisser
Terminer nos rêves ?

Au bout du chemin, si le temps n'existe pas
Où s'en vont tous les visages d'autrefois ?

Quand je m'en irai
Pour toujours ou pour jamais
Je voudrais tant te dire encore que je t'aimais

Si les mots parfois sont trop lourds au fond du cœur
Les silences ont la couleur de nos secrets...

Il me reste encore tant de larmes et tant de rires
Tant de choses à découvrir
De bonheurs à vivre

S'il fallait partir, moi mon ciel ou mon enfer
Ce serait de te chercher dans l'Univers...

Qu'y a-t-il après
Quand nos âmes ont disparu
Quand nos cœurs ne battent plus
Près de ceux qu'on aime ?

Si nos souvenirs se diluent dans l'infini
Qu'en est-il de nos amours et nos amis ?

Quand je m'en irai pour ailleurs ou pour après
J'aurai si peur de n'y trouver que des regrets

Et je sais déjà les chemins d'éternité
Qui pourront guider mes pas pour te trouver...

Le salon de l'appartement de mon enfance, rue de Tocqueville, à Paris. Entre les fauteuils recouverts de housses, trône le piano, mon évasion, ma fenêtre sur le ciel. Et sur les murs, le tissu chatoyant se reflète dans un grand miroir...

LE PAYS DES MOTS D'AMOUR

D'où nous viennent les rengaines
Que l'on chante au salon
Où s'envolent les paroles des chansons ?

Les histoires, certains soirs
Sont cachées dans les miroirs
Au matin, bien malin qui pourrait voir...

Le pays des mots d'amour
Dans les reflets du velours
Le pays des mots câlins
Dans les reflets du satin
Le pays démodé
Dans les reflets du passé
Celui des mots défendus
Dans les reflets disparus

Le pays des mots d'enfants
Dans les reflets du printemps
Celui des mots oubliés
Dans les reflets d'un cahier
Tous les mots qui font croire
Aux reflets dans les miroirs
Bien malin, bien malin qui peut les voir...

Au pays de mon enfance
Les rideaux sont tirés
Sur la ville le silence est retombé

Le piano refermé
Et la chanson terminée
Au matin, bien malin qui peut trouver...

Nos mots tendres et nos amours
Dans les reflets du velours
La lumière de nos matins
Dans les reflets du satin
Les sourires du hasard
Qui font chanter nos mémoires
Pour nous offrir en passant
Le passé comme un présent

Le pays des souvenirs
Sous les reflets du saphir
Dans les éclats du diamant
Celui des mots qu'on attend
Les bonheurs dérisoires
Qui nous offrent un peu d'espoir
Bien malin, bien malin qui sait les voir...

Le pays démodé
Dans les reflets du passé
Celui des mots défendus
Dans les reflets disparus

Le pays des mots d'enfants
Dans les reflets du printemps
Celui des mots oubliés
Dans les reflets d'un cahier
Tous les mots qui font croire
Aux reflets dans les miroirs
Bien malin, bien malin qui peut les voir.

L'Univers de Babar, le héros de notre enfance, notre premier compagnon d'illustrés, avec son image rassurante, bienveillante, sa morale et sa fantaisie.

LE ROYAUME DES ÉLÉPHANTS

Existe-t-il au monde
Un pays tout petit
Où tout est à tout le monde
Où rien n'est interdit

Un endroit sans colère
Un refuge, un abri
Un pays sans frontière et plein d'amis ?

Je connais ce Royaume
Où tout est important
Du plus petit atome
Au plus grand éléphant

Le Roi n'y fait la guerre
Qu'aux larmes des enfants
Là-bas rien n'a changé depuis longtemps

Quand le pays des hommes est trop petit
Le rêve a le pouvoir de m'emporter d'ici...

À l'autre bout du monde
Dans les couleurs du ciel
La terre est bien plus blonde
La ville est bien plus belle

Là-bas tout est possible
L'Amour est au pouvoir
Il suffit de permettre et de vouloir

La Reine au cœur si tendre
Le Roi si fraternel
Ressemblent à s'y méprendre
Au bonheur éternel

Et jamais leur histoire
De mémoire d'éléphants
Ne finira ne finira vraiment

Quand le pays des hommes est trop petit
Je prends le premier train pour m'en aller aussi...

Vers ce pays d'enfance
Sans haine et sans malheur
D'éléphants sans défense
Qui ressemble à mon cœur

Où tout l'amour du monde
S'est donné rendez-vous
Pour les enfants qui dorment au fond de nous
Pour les enfants qui dorment au fond de nous

Car il existe au monde
Un pays tout petit
Où tout est à tout le monde
Où rien n'est interdit

Un endroit sans colère
Un refuge, un abri
Un pays sans frontière et plein d'amis

La Reine au cœur si tendre
Le Roi si fraternel
Ressemblent à s'y méprendre
Au bonheur éternel

Et jamais leur histoire
De mémoire d'éléphants
Ne finira ne finira vraiment,
Ne finira ne finira vraiment.

Un texte pour Rose Laurens, accordé à son diapason vibrant de tendresse et de sensualité. J'ai été femme le temps de l'écrire.

ÉCRIS TA VIE SUR MOI

Mets tes mots sur mes lèvres
Et ta main sur mon cœur
Écris ta vie sur moi

Tes rêves sur ma peau
Comme un frisson sur l'eau
Qui n'en finirait pas

Accroche tes jours à mes nuits
Comme un soleil à mon ennui
Une autre vie qui recommence

Ouvre les pages de mon enfance
Et de ta plus belle écriture
Écris l'amour sur mes blessures

Viens graver ton chemin
Dans le creux de ma main
Je guiderai tes doigts

Viens broder ta mémoire
Au fil de mon histoire
Écris ta vie sur moi

Avant que le temps nous emporte
Vers d'autres peaux, vers d'autres portes
Je veux rêver d'un avenir

Je veux graver ton souvenir
Sur tout mon corps, de tout mon être
T'appartenir et te connaître
Et puis mourir et puis renaître

Je suis un livre ouvert
Une histoire à refaire
Écris ta vie sur moi...

*Octobre 86 : La maman de Noëlle
s'éteint tout doucement dans la pièce
à côté. Où sont les certitudes de
l'enfance ?...
Martine — Tu m'aimes ?
Yves : — Oui je t'aime, jusqu'au
bout de la route ...
Martine — Jusqu'au bout de
l'infini de l'Univers qui
finit Jamais ?...*

JUSQU'OÙ JE T'AIME

Si jamais tu me demandes
Jusqu'où je t'aime
Et si quand tu seras grande
On s'aimera quand même

S'il fallait que je te dise
Tout mon amour
Même en ouvrant les bras
Ça ne suffirait pas
Moi mon amour pour toi
Je crois bien qu'il va

Jusqu'au bout du monde et de la mer
Et du soleil et jusqu'au bout des étoiles
Au-delà du fond des galaxies
Dans l'infini de l'univers sidéral

Aussi loin que porte le regard de mon cœur
Jusqu'au bout du ciel et jusqu'au fond du bonheur
Je t'aime aussi loin

Moi voilà comment je t'aime
Et c'est pour toujours
Ça s'écrit dans mon cœur même
Jour après jour

Pour en prendre la mesure
Sans se tromper
Il faudrait un cadran
Si beau si gros si grand
Que rien qu'en le posant
Il irait sûrement

Jusqu'au bout du monde et de la mer
Et du soleil et jusqu'au bout des étoiles
Au-delà du fond des galaxies
Dans l'infini de l'univers sidéral

Jusqu'à des frontières dont tu n'as jamais rêvé
Au-delà des heures et jusqu'à l'éternité
Je t'aime aussi loin

Jusqu'au bout du monde et de la mer
Et du soleil et jusqu'au bout des étoiles
Au-delà du fond des galaxies
Dans l'infini de l'univers sidéral

Jusqu'au cœur des glaces et jusqu'au fond du désert
Jusqu'au bout du ciel et dans un autre univers
Je t'aime aussi loin

Si jamais tu me demandes
Jusqu'où je t'aime
Je t'aime aussi loin...

Depuis la disparition de sa maman, Noëlle vit l'absence de façon si présente que je ne suis que sa voix pour la chanter.

TON ABSENCE

Comme une bouffée de chagrin
Ton visage ne dit plus rien
Je t'appelle et tu ne viens pas
Ton absence est entrée chez moi

C'est un grand vide au fond de moi
Tout ce bonheur qui n'est plus là
Si tu savais quand il est tard
Comme je m'ennuie de ton regard

C'est le revers de ton amour
La vie qui pèse un peu plus lourd
Comme une marée de silence
Qui prend ta place et qui s'avance

C'est ma main sur le téléphone
Maintenant qu'il n'y a plus personne
Ta photo sur la cheminée
Qui dit que tout est terminé

Tu nous disais qu'on serait grands
Mais je découvre maintenant
Que chacun porte sur son dos
Tout son chemin comme un fardeau

Les souvenirs de mon enfance
Les épreuves et les espérances
Et cette fleur qui s'épanouit sur le silence...
Ton absence

Je dors blotti dans ton sourire
Entre le passé, l'avenir
Et le présent qui me retient
De te rejoindre un beau matin

Dans ce voyage sans retour,
Je t'ai offert tout mon amour
Même en s'usant l'âme et le corps
On peut aimer bien plus encore

Bien sûr, là-haut, de quelque part
Tu dois m'entendre ou bien me voir
Mais se parler c'était plus tendre
On pouvait encore se comprendre

Mon enfance a pâli, déjà
Ce sont des gestes d'autrefois
Sur des films et sur des photos
Tu es partie tellement trop tôt

Je suis resté sur le chemin
Avec ma vie entre les mains
À ne plus savoir comment faire
Pour avancer vers la lumière

Il ne me reste au long des jours
En souvenir de ton amour
Que cette fleur qui s'épanouit sur le silence...

Ton absence.

Elle me considérait comme son fils.
La mort et la vie se côtoyaient de
si près, dans cette chambre silencieuse,
que chaque seconde était importante,
l'intensité et la richesse des échanges
où se mêlaient douleur et tendresse
en ont fait un des moments les plus
troublants de notre vie.

À MA MÈRE

Elle a fermé sa vie comme un livre d'images
Sur les mots les plus doux qui se soient jamais dits
Elle qui croyait l'amour perdu dans les nuages
Elle l'a redécouvert au creux du dernier lit

Et riche d'un sourire au terme du voyage
Elle a quitté son corps comme on quitte un bateau
En emportant la paix, gravée sur son visage
En nous laissant au cœur un infini fardeau

Elle souriait de loin, du cœur de la lumière
Son âme était si claire aux franges de la nuit
On voyait du bonheur jusque dans sa misère
Tout l'amour de la Terre qui s'en allait sans bruit

Comme autour d'un chagrin les voix se font plus tendres
Un écrin de silence entourait nos regards
Les yeux n'ont plus besoin des mots pour se comprendre
Les mains se parlent mieux pour se dire au revoir

Moi qui ne savais rien de la vie éternelle
J'espérais qu'au-delà de ce monde de fous
Ceux qui nous ont aimés nous restent encore fidèles
Et que parfois leur souffle arrive jusqu'à nous

Elle souriait de loin, du cœur de la lumière
Et depuis ce jour-là je sais que dans sa nuit
Il existe un ailleurs où l'âme est plus légère
Et que j'aurai moins peur d'y voyager aussi

Elle a fermé sa vie comme un livre d'images
Sur les mots les plus doux qui se soient jamais dits
Elle qui croyait l'amour perdu dans les nuages
Elle l'a redécouvert au creux du dernier lit

Et riche d'un sourire au terme du voyage
Elle a quitté son corps comme on quitte un ami
En emportant la paix, gravée sur son visage
En nous laissant à l'âme une peine infinie.

Le droit à l'information, la démocratie, l'opinion publique, la Justice, la politique, les sondages, la médecine, le monde a soif de vérité.
Est-elle toujours bonne à dire ?

LE SILENCE OU LA VÉRITÉ

Où se trouve la vérité
Dans quelle guerre et dans quelle armée
Du Viêt-Nam à l'Afghānistān
De Greenpeace aux armes d'Iran ?
Vérité es-tu bonne à dire
À celui qui peut nous détruire ?

Pour l'amour de la vérité
Que de haine on a pu semer,
Que de peur et de dérision
Des Croisades à l'Inquisition
Qui peut mettre l'éternité
À l'épreuve de vérité ?

Comment croire à la vérité
Qu'on nous livre de tous côtés
En pâture au gré d'un caprice
En otage ou en sacrifice
Dans les mains de ces fous à lier
De quel bord est-elle une alliée ?

On l'enferme on la défigure
On la brûle et on la torture
Qu'elle éclate et nous éclabousse
D'une averse de pluie d'eau douce
Mais sur l'arbre de vérité
Bien des fruits sont empoisonnés

Faut-il croire à la vérité
Quand le temps a tout effacé
S'il ne reste que des images
Des discours et des témoignages
Dans les cœurs et loin des passions
Qui a tort et qui a raison ?

Où se trouve la vérité
Dans l'amour ou la charité ?
Vérité es-tu bonne à dire
Au malade qui va mourir ?
Bien plus lourd sera le secret
Dans le cœur de celui qui sait

Que toujours il devra garder
Le silence et la vérité.

Je me sens très proche de ces peintres qui ont livré de leur temps une impression plutôt qu'une réalité, qui en furent contestés alors avec véhémence, mais qui restent aujourd'hui les plus fidèles témoins de l'âme de leur époque.

REGARD IMPRESSIONNISTE

Il y avait au jardin des bouquets de lumière
Le soleil traversait les couleurs du sous-bois
Au bord du bel étang un pêcheur solitaire
S'endormait doucement, sa canne entre les bras

C'était un jour d'été, léger comme un dimanche
L'air était transparent sous le feuillage clair
Le bonheur était là, paisible, entre les branches
Et les reflets mouvants des arbres et des fougères

Le soleil inondait le bord de la rivière
Des couples enlacés dansaient sur le ponton
Près des tables encombrées de bouteilles et de verres
Des guirlandes accrochées croulaient sous les balcons

Une femme debout regardait quelque chose
Une lueur magique au fond de son regard
Son bras disparaissait sous un bouquet de roses
Elle était appuyée sur un divan bizarre

C'était au Grand Palais, sur des toiles de maîtres
Il y avait un Monet et deux ou trois Renoir
Le cœur dans les tableaux je me sentais renaître
Et en fermant les yeux je pourrais les revoir

Le monde a la beauté du regard qu'on y pose
Le jardin de Monet, le soleil de Renoir
Ne sont que le reflet de leur vision des choses
Dont chacun d'entre nous peut être le miroir

La vie nous peint les jours au hasard du voyage
En amour en douleur ou en mélancolie
C'est un peu de ce temps qu'on laisse en héritage
Enrichi du regard qu'on a posé sur lui.

Le monde d'aujourd'hui est en guerre. Les grands blocs s'affrontent par pays interposés, sur toute la surface du globe, et les mots amortissent le choc des corps et des armées. Mais un peu partout, des enfants sont précipités dans le cauchemar et dans la mort. La folie des adultes est sans limites. Quelle force de sagesse peut imposer la trêve ?

POUR LES ENFANTS
DU MONDE ENTIER

Pour les enfants du monde entier
Qui n'ont plus rien à espérer
Je voudrais faire une prière
À tous les maîtres de la Terre

À chaque enfant qui disparaît
C'est l'Univers qui tire un trait
Sur un espoir pour l'avenir
De pouvoir nous appartenir

J'ai vu des enfants s'en aller
Sourire aux lèvres et cœur léger
Vers la mort et le paradis
Que des adultes avaient promis

Mais quand ils sautaient sur les mines
C'était Mozart qu'on assassine
Si le bonheur est à ce prix
De quel enfer s'est-il nourri ?

Et combien faudra-t-il payer
De silence et d'obscurité
Pour effacer dans les mémoires
Le souvenir de leur histoire ?

Quel testament quel évangile
Quelle main aveugle ou imbécile
Peut condamner tant d'innocence
À tant de larmes et de souffrances ?

La peur, la haine et la violence
Ont mis le feu à leur enfance
Leurs chemins se sont hérissés
De misère et de barbelés

Peut-on convaincre un dictateur
D'écouter battre un peu son cœur ?
Peut-on souhaiter d'un président
Qu'il pleure aussi de temps en temps ?

Pour les enfants du monde entier
Qui n'ont de voix que pour pleurer
Je voudrais faire une prière
À tous les maîtres de la Terre

Dans vos sommeils de somnifères
Où vous dormez les yeux ouverts
Laissez souffler pour un instant
La magie de vos cœurs d'enfants

Puisque l'on sait de par le monde
Faire la paix pour quelques secondes
Au nom du Père et pour Noël,
Que la trêve soit éternelle

Qu'elle taise à jamais les rancœurs
Et qu'elle apaise au fond des cœurs
La vengeance et la cruauté,
Jusqu'au bout de l'éternité

Je n'ai pas l'ombre d'un pouvoir
Mais j'ai le cœur rempli d'espoir
Et de chansons pour aujourd'hui
Qui sont des hymnes pour la vie

Et des ghettos, des bidonvilles
Du cœur du siècle de l'exil
Des voix s'élèvent un peu partout
Qui font chanter les gens debout

Vous pouvez fermer vos frontières
Bloquer vos ports et vos rivières
Mais les chansons voyagent à pied
En secret dans des cœurs fermés

Ce sont les mères qui les apprennent
À leurs enfants qui les reprennent
Elles finiront par éclater
Sous le ciel de la liberté

Pour les enfants du monde entier.

Cette chanson est le portrait fidèle de l'âme de Noëlle, et pour l'écrire, c'est d'elle plus que de la mer, que je me suis inspiré.

LA MER RESSEMBLE À TON AMOUR

La mer ressemble à ton amour
Sa couleur change au gré des jours
Mais dans son âme elle est la même
Elle est fidèle à ceux qui l'aiment

Elle a le temps pour paysage
Elle est le but et le voyage
Elle se nourrit de liberté
De l'espace et d'éternité

Entre ses digues, entre ses rives
Elle n'est jamais vraiment captive
Elle veut sentir qu'on la désire
Elle s'avance, et puis se retire

Elle est sauvage, elle est rebelle
Mais elle est toujours la plus belle
Il faut la conquérir toujours...
La mer ressemble à ton amour

Elle a des vagues de tendresse
Qui m'épousent et qui me caressent
Elle s'abandonne autour de moi
Pour rejaillir entre mes doigts

Elle me berce et elle me chavire
Elle m'emporte comme un navire
Elle me pousse à prendre le vent
Vers le large et les océans

Je ne sais plus où elle s'achève
Elle est plus vaste que mon rêve
Son horizon et ses frontières
Font déjà le tour de la Terre

Elle est profonde et transparente
Aussi pure aussi apaisante
Que ton regard à mon cœur lourd...
La mer ressemble à ton amour

Elle vit des drames et des naufrages
En rapportant jusqu'au rivage
Les souvenirs qu'elle a sauvés
Dés profondeurs de son passé

Elle a parfois dans ses reflets
Tant de regards et de regrets
Qu'elle va noyer son amertume
Derrière un grand rideau de brume

Elle vient se perdre entre les dunes
Habillée de rayons de lune
Ouvrir son âme à son chagrin
Verser des larmes entre mes mains

Au soleil après la tempête
Elle se rassemble et elle s'apprête
Elle avance encore et toujours...
La mer ressemble à ton amour

Lorsque la nuit déploie ses ailes
Je suis encore amoureux d'elle
Peut-être un jour si je m'y noie
Me prendra-t-elle entre ses bras

Mais si je plonge en solitaire
Dans l'océan de tes yeux verts,
Quand je m'y baigne jusqu'au jour...
La mer ressemble à ton amour

Ai-je assez d'une vie pour en faire le tour ?...

Insidieuse, sournoise, excitante et
destructrice, elle nous cerne ou nous
concerne. L'actualité récente en a fait
la preuve, au siècle de la communication,
des médias les plus sophistiqués et de
l'information universelle et instantanée,
la rumeur court plus vite que jamais,
colportant des mensonges plus vrais que
la réalité, en s'appuyant sur la phrase
la plus terrible qui soit, à laquelle nul
ne peut répondre et qui ressemble déjà
à une sentence :

"Il n'y a pas de fumée sans feu..."

LA RUMEUR

La rumeur ouvre ses ailes
Elle s'envole à travers nous
C'est une fausse nouvelle
Mais si belle, après tout,

Elle se propage à voix basse
À la messe et à midi
Entre l'église et les glaces
Entre confesse et confit

La rumeur a des antennes
Elle se nourrit de cancans
Elle est bavarde et hautaine
Et grandit avec le temps

C'est un arbre sans racines
À la sève de venin
Avec des feuilles d'épines
Et des pommes à pépins

Ça occupe, et ça converse
Ça nourrit la controverse
Ça pimente les passions,
Le sel des conversations...

La rumeur est un microbe
Qui se transmet par la voix
Se déguise sous la robe
De la vertu d'autrefois

La parole était d'argent
Mais la rumeur est de plomb
Elle s'écoule, elle s'étend
Elle s'étale, elle se répand

C'est du miel, c'est du fiel
On la croit tombée du ciel
Jamais nul ne saura
Qui la lance et qui la croit...

C'est bien plus fort qu'un mensonge
Ça grossit comme une éponge
Plus c'est faux, plus c'est vrai
Plus c'est gros et plus ça plaît

Calomnie, plus on nie,
Plus elle enfle et se réjouit
Démentir, protester,
C'est encore la propager

Elle peut tuer, sans raison,
Sans coupable et sans prison
Sans procès ni procession
Sans fusil ni munitions

C'est une arme redoutable
Implacable, impalpable
Adversaire invulnérable
C'est du vent et c'est du sable

Elle rôde autour de la table
Nous amuse ou nous accable
C'est selon qu'il s'agit
De quiconque ou d'un ami

Un jour elle a disparu
Tout d'un coup, dans les rues
Comme elle était apparue
À tous ceux qui l'avaient crue...

La rumeur qui s'est tue,
Ne reviendra jamais plus

Dans un cœur, la rancœur
Ne s'en ira pas non plus.

Ce n'est ni un calcul ni une volonté :
Je suis comme ça. Depuis toujours, je
m'échappe de toutes les images dans
lesquelles on tente de m'enfermer.
Mais je suis poursuivi par tous les
tiroirs où l'on essaie de me classer,
les cadres où l'on voudrait me faire
entrer, et par des identités aussi peu
conformes que possible à ma réalité.

Ainsi, j'ai écrit "le petit pont de
bois" je suis donc proche de la nature,
avec pour seul univers les fleurs et
les petits oiseaux, j'ai chanté pour
les enfants, je suis donc infantile,
j'habite une maison à la campagne,
je suis donc écologiste, et puisque
je n'évoquais pas la violence dans mes
chansons, je ne pouvais être que naïf
et crédule, béatement optimiste, et
même sans doute un peu niais...

Patiemment, j'ai décollé une à
une toutes ces étiquettes, et découvert
qu'il fallait m'exposer davantage et
chanter plus directement ce que je
ressentais pour être perçu tel que je suis.

Mais la meilleure arme reste encore
l'humour, et la dérision...

LA VALSE DES ÉTIQUETTES

Je suis le gentil troubadour
Le bûcheron de la chanson
Le fermier du 45 tours
L'écolo du microsillon

Le Villon de la salle des fêtes
L'artisan de la stéréo
Le bricoleur de la cassette
Le routard de la vidéo

On m'a donné tellement d'images
Au détour de chaque chanson
Je n'ose en chanter davantage
De peur de troubler l'opinion

On m'a collé tant d'étiquettes
Si j'en crois tout ce que l'on dit
Que mon portrait dans les gazettes
Ressemble aux valises à Orly

Je n'ai jamais nourri les oies
Ni les brebis ni les agneaux
Et je me tape sur les doigts
Quand je joue avec un marteau

J'ai beau courir à toute vapeur
À pied à cheval en auto
J'ai beau vivre à deux cents à l'heure,
Quand on me voit dans les journaux...

Je suis le gentil troubadour
Le bûcheron de la chanson...
Le fermier du 45 tours
L'écolo du microsillon

Le Villon de la salle des fêtes
L'artisan de la stéréo
Le bricoleur de la cassette
Le routard de la stéréo

J'envie parfois la girouette
Elle reste toujours dans le vent
Mais dans le cœur de la tempête
Moi je rame à contre-courant

On me taxe de bucolique
Quand il faudrait être disco
Et quand il faut être alcoolique
On me voit buveur de coco

Je n'entretiens pas de danseuse
Je n'ai pas de manies étranges
Ni d'autre maladie honteuse
Que la guitare qui me démange

Mais comme il faut trouver matière
À parler de ce qu'on entend
Pour les potins de la Commère
À défaut d'être ressemblant...

Je suis le gentil troubadour
Le bûcheron de la chanson...
Le fermier du 45 tours
L'écolo du microsillon

Le Villon de la salle des fêtes
L'artisan de la stéréo
Le bricoleur de la cassette
Le routard de la vidéo

Toujours heureux toujours content
Dans tous ces miroirs déformants
Je m'imagine avec le temps
Vieillard paisible et impotent

À l'abri derrière ma fenêtre
À regarder passer le temps
En écrivant parfois peut-être
Une chanson de temps en temps

Je fuis les modes et les modèles
Et je vis comme vous et moi
En essayant d'être fidèle
À mes vieux rêves d'autrefois

Mais j'aurai beau dire et beau faire
Pour me montrer tel que je suis
Je crois qu'au bout de ma carrière
Et jusqu'à la fin de ma vie...

Je resterai le troubadour
Le bûcheron de la chanson...
Le fermier du 45 tours
L'écolo du microsillon

Le Villon de la salle des fêtes
L'artisan de la stéréo
Le bricoleur de la cassette
Le routard de la vidéo.

Ce texte m'a été inspiré par la
lecture de "La faim du Tigre" dont
l'auteur lui-même, René Barjavel,
disait : " Je donnerais tous mes autres
livres pour celui-ci ... "

Parfois l'évidence se dilue,
au point que seul un regard
extérieur nous permet d'avoir une
vue d'ensemble sur nous-mêmes.

L'Homme semble avoir atteint
ce seuil critique où ses choix peuvent
le propulser vers les étoiles ou vers
le néant, vers l'avenir ou vers les
oubliettes de l'Univers ...

LES PETITS HOMMES VERTS

Si un jour des petits hommes verts
Venus du fond des galaxies
Pour explorer notre univers
S'en venaient à passer ici

Nous verraient-ils tels que nous sommes
Avec nos vices et nos vertus
Ou bien leur regard sur les hommes
Aurait-il quelque chose en plus ?

S'il existe dans les étoiles
D'autres êtres doués de raison,
Pourraient-il à valeur égale
Supporter la comparaison ?

L'Homme est un loup plein de sagesse
Un lion rempli de mansuétude
Un éléphant tout en finesse
Un singe qui a fait des études

Mais tout nu dans la forêt vierge
Face aux mygales et aux boas
Il n'a plus qu'à brûler un cierge
Pour échapper à son trépas...

Est-ce une erreur de la nature
Un paradoxe désolant
Un avatar dans l'aventure
Un accroc dans le fil du temps ?

Est-ce un caillou dans l'engrenage
Une fausse note dans l'Harmonie
Une étape du grand voyage
Un fauteur de cacophonie ?

C'est le seul être de la Terre
Qui soit capable à lui tout seul
D'anéantir tout l'Univers
Pour se draper dans son linceul

Il a mis son intelligence
Au service de son instinct
Tout son génie et sa puissance
À trucider tous ses voisins

Il a vaincu la fièvre aphteuse
Et l'a stockée dans des flacons
Sur des missiles à tête chercheuse
Pour les envoyer sur le front...

Le loup le tigre et la panthère
Le scorpion le rhinocéros
Le crocodile et la vipère
Sont moins cruels et moins féroces

Que cet animal solitaire
Sans scrupule et plein d'appétit
Qui détruirait jusqu'à ses frères
Sans un remords et sans un cri

Voilà ce que diraient sans doute
Les visiteurs des Galaxies
Avant de reprendre la route
Vers leurs étoiles et leur pays...

En programmant sur leurs antennes
Le début d'une épidémie
Qui réduirait la race humaine
À l'impuissance et à l'oubli

Je ne sais ce que nous réserve
L'avenir de l'humanité
Qu'il nous épargne et nous préserve
De semblables calamités

Méfions-nous des petits hommes verts
C'est ainsi qu'ils pourraient parler
À moins que l'Homme et ses chimères
D'ici là n'aient beaucoup changé

À moins que l'Homme et ses chimères
D'ici là n'aient beaucoup changé.

TABLE DES MATIÈRES

Ces chansons, écrites et composées par Yves Duteil,
sont éditées par :
de 1972 à 1979, L'Ecritoire/Editions Francis Day
à partir de 1980, L'Ecritoire
La tendre image du bonheur, L'Ecritoire/Editions Sidonie

Photographie d'Yves Duteil :
Quentin Bertoux

Aubin Imprimeur Ligugé-Poitiers
Achevé d'imprimer en février 1988
Nº d'édition W 43838 V (AA.c.VII) SCCM / Nº d'impression L 26736
Dépôt légal, février 1988
Imprimé en France

ISBN 2-09-282531-3